OTTO NAGEL

MENSCHENSUCHER UND SOZIALIST

Otto und Walentina Nagel mit Sergei I. Tjulpanow bei der Übergabe von Lenins Totenmaske, 1948
Tjulpanow leitete von Oktober 1945 bis September 1949 im Range eines Obersten die Propaganda- und Informationsabteilung der Sowjetischen Militäradministration Deutschland.

Foto: Zentralbild und unbekannt
Akademie der Künste, Berlin, Otto-Nagel-Archiv,
Signatur: Otto-Nagel-Fotos 51.1-4

OTTO NAGEL

MENSCHENSUCHER UND SOZIALIST

Pastelle und Gemälde
1922 bis 1965

Mit Beiträgen von
Sergey Fofanov, Eckhart J. Gillen, Michael Krejsa, Rosa von der Schulenburg und Kurt Winkler

Kleine Galerie Stadt Eberswalde
zu Gast im Museum Eberswalde

„Ich empfinde diese Zumutung als eine unverschämte Frechheit ...“

Otto Nagel auf einer Veranstaltung
mit Magnus Zeller, ohne Datum,
Foto: Werner Taag
Akademie der Künste, Berlin,
Otto-Nagel-Archiv, Signatur:
Otto-Nagel-Fotos 44

Liebe Besucherinnen und Besucher, liebe Kunstinteressierte,

wer heute ein Bild von Otto Nagel betrachtet, fühlt sich direkt in ein ärmliches, kohlestaubiges, hinterhofiges Berlin versetzt. Auch wenn wir Spätgeborenen das meist nur noch von der bemalten oder kinematografischen Leinwand kennen.

Denn: Der Maler porträtierte eben nicht die große, mondäne Gesellschaft der Goldenen Zwanziger, sondern die (vermeintlich) kleinen Leute in Vierteln, die alles andere als goldglänzend aussahen.

Otto Nagel war der Chronist des ihm so vertrauten proletarischen Milieus, ein wahrhaftiger und treuer Beobachter. Heutzutage würde man ihn, der zeitweise Verfolgung durch die Nationalsozialisten zu erleiden hatte, einen Künstler mit Haltung nennen. Während des Zweiten Weltkrieges malte er unter freiem Himmel jene Ecken seiner Stadt, von denen wenig später nur noch Ruinen übrig waren – doch auf seinen Motiven war der Kiez der Zerstörung entrissen.

Die Kunstausstellung „Otto Nagel – Menschensucher und Sozialist“ im Museum Eberswalde präsentiert Porträts, Studien und Alltagsszenen aus dem Leben der einfachen Leute, sowie Ansichten des alten Berlins. Ich denke, Otto Nagel passt mit seinen Werken hervorragend nach Eberswalde – befindet sich doch hier die Wiege der brandenburgisch-preußischen Industrie. Die Stadt war jahrhundertelang geprägt von Güterproduktion und einer stolzen Arbeiterschaft. Gewiss hätte Otto Nagel auch in Eberswalde sein Sujet gefunden.

Ich freue mich sehr, dass wir die Sonderschau dieses großen Porträtisten der kleinen Leute gefördert haben und nun der Öffentlichkeit zugänglich machen können!

Bei dem kunsthistorisch-organisatorischen Team bedanke ich mich herzlich und wünsche viel Erfolg, und den Gästen eine anregende Ausstellung!

Ihre
Dr. Manja Schüle
Ministerin für Wissenschaft, Forschung und Kultur des Landes Brandenburg

Vorwort

Mit dem schriftlichen Nachlass von Otto Nagel und einer großen Sammlung seines bildkünstlerischen Werkes aus allen Schaffensperioden verfügt die Akademie der Künste über einen besonderen Schatz. Wir freuen uns, dass nach den Ausstellungen „Berliner Stadtlandschaften" 2008 im Berliner Mitte Museum und „Otto Nagel. Orte – Menschen" 2012 im Schloss Biesdorf nun im Museum Eberswalde eine Auswahl seiner Bilder zu sehen sein wird.

Leben und Werk des 1894 geborenen Künstlers wurden entscheidend durch die Umbrüche und Verwerfungen des 20. Jahrhunderts geprägt. Das Otto-Nagel-Archiv erweist sich dabei als wichtige Quelle für neue Erkenntnisse, die seine Zeit im NS-System und seine Rolle als ein führender Kulturpolitiker der DDR in einem anderen Licht erscheinen lassen. Nach neuen Recherchen muss das vor allem nach seinem Tod verbreitete Bild vom Künstler und Widerstandskämpfer, der Mal- und Ausstellungsverbot hatte, Monate im KZ verbringen musste und ständigen Hausdurchsuchungen ausgesetzt war, präzisiert werden.

In den frühen Jahren der DDR stieg Nagel zu einem einflussreichen Kulturpolitiker auf, der schließlich 1956 das Amt als Präsident der Deutschen Akademie der Künste zu Berlin erlangte. Er ließ sich jedoch nicht von der SED instrumentalisieren, äußerte seine Zweifel und Bedenken gegen die Anti-Formalismus-Kampagne, vor allem aber öffnete er die Akademie für Künstler aus dem Westen, für Veristen und Anhänger einer realistischen Kunst. Dies wurde ihm zum Verhängnis, als der erste DDR-Kulturminister Johannes R. Becher erst entmachtet wurde und dann verstarb. Nach dem Mauerbau 1961 zog die SED die Zügel an. Nagels Unterstützung für die im selben Jahr von Fritz Cremer initiierte Ausstellung „Junge Künstler" bedeuteten für ihn das Ende seiner Präsidentschaft und den Machtverlust.

Die Beiträge in diesem Band bieten neue Forschungsergebnisse und zeigen wichtige Seiten der Persönlichkeit von Otto Nagel, vor allem seinen Mut und seine Integrität, die er in den kulturpolitischen Ämtern auch unter großem politischem Druck bewahrte.

Ich danke allen, die zu dieser Ausstellung beigetragen haben, vor allem dem Herausgeber, den Autorinnen und Autoren dieses Kataloges.

Werner Heegewaldt
Direktor des Archivs
der Akademie der Künste

Sehr geehrte Damen und Herren, liebe Freunde der Kunst,

unter dem Titel „Otto Nagel – Menschensucher und Sozialist" führt unsere Stadt eine Reihe mit Ausstellungen über interessante Künstlerpersönlichkeiten fort. So konnten wir 2020 Werke von Walter Womacka in der Kleinen Galerie Eberswalde im SparkassenForum Eberswalde zeigen, 2021 wurde eine Ausstellung zu Carl Blechen vorbereitet und im Museum unserer Stadt im Frühjahr 2022, in Zusammenarbeit mit der Stiftung Fürst-Pückler-Museum, Park und Schloss Branitz, gezeigt.

Für diese jetzt zusammengestellte Ausstellung mit Werken von Otto Nagel im Museum Eberswalde ist eine Zusammenarbeit mit der Akademie der Künste, Berlin, als Leihgeber zustande gekommen. Diese präsentiert in gemeinsamer Erarbeitung mit dem Kulturamt der Stadt Eberswalde und dem Kurator Eckhart J. Gillen einen Künstler, über welchen Ludwig Justi, 1950 Direktor der Nationalgalerie, sagte:

„Otto Nagel stellt in seinem Schaffen ein bedeutsames Stück der Weltgeschichte anschaulich dar, nicht des staatlichen oder kriegerischen Geschehens, sondern des gesellschaftlichen, sozialen; aus eigenem Erleben."

Im parallel erscheinenden Katalog sind nicht nur die Werke der Ausstellung zu sehen, sondern es werden sich Kurator Eckhart J. Gillen, Rosa von der Schulenburg, Kurt Winkler, Michael Krejsa und Sergey Fofanov in ihren Aufsätzen mit dem Künstler und Menschen Otto Nagel neu auseinandersetzen.

Wir schätzen uns glücklich, Ihnen Werke von Otto Nagel vom 21. Oktober 2022 bis zum 2. April 2023 in unserer Stadt zeigen zu können, und laden Sie dafür sehr herzlich zu einem Besuch nach Eberswalde ein.

Wir freuen uns auf Sie!

Götz Herrmann
Bürgermeister
Stadt Eberswalde

Norman Reichelt
Amtsleiter für Kultur
Stadt Eberswalde

Einladungskarte zur Eröffnung der „Arbeiter-Kunst- Ausstellung" in den Räumen der Verlagsbuchhandlung Ernst Friedrich, Berlin, am 15. Mai 1921
Repro aus Frommhold 1974, S. 76

Kurt Winkler

Der Zeuge – Otto Nagel zwischen Politik und Kunst (1919 bis 1933)

Ambivalenzen

Malender Arbeiter, proletarischer Künstler, kommunistischer Kulturmanager – wie ist Otto Nagel richtig bezeichnet? Nagel selbst und viele seiner Interpreten haben daran gearbeitet, diese Biografie zwischen Kunst und Politik als geradlinigen Weg darzustellen. Aber verläuft seine Entwicklung vom Autodidakten aus der Berliner Unterschicht des Kaiserreichs zum Präsidenten der Deutschen Akademie der Künste zu Berlin (Ost) tatsächlich so stringent, wie es die Erzählung vom „Klassiker aus dem Wedding" seit annähernd 75 Jahren kolportiert?

Nagel wird im September 1894 geboren. Im November 1918, bei Ende des Ersten Weltkriegs und Revolution, ist er 24 Jahre alt, im Januar 1933, im Moment der Machtübernahme der Nationalsozialisten, 38 Jahre, im Oktober 1949, zur Gründung der DDR, 54 Jahre alt. Mehr als bei anderen ist seine Künstlervita eingespannt in und geprägt durch diese politische Ereigniskette, die Nagel zum Opfer der sozialen Verhältnisse und politischen Repression, aber auch zum Vertreter eines Fortschritts macht, der im „Aufbau des Sozialismus" in der DDR mündet.

Man kann diese Biografie so lesen – aber auch anders. Nagel hat darum gerungen, seine Kunst und sein politisches Leben in Einklang zu bringen. In beiden Sphären aber nimmt er eine Position am Rande ein. Was ihn kennzeichnet, ist gerade die Abwesenheit künstlerischen Virtuosentums und ästhetischer Finesse, der Verzicht auf Arbeiterpathos und Kaderpolitik. Er ist weniger Künstler und Politiker als Chronist und Aktivist, und diese Zwischenstellung weckt heutiges Interesse eher als heroische Konstrukte. Dennoch, aus seinen besten Arbeiten spricht unmittelbar die Empathie mit den Dargestellten. Hier gelingen Werke, die zum Realismus der Zwischenkriegskunst etwas Eigenes und Wesentliches beigetragen haben. Nagels Aufrichtigkeit, seinem Mitfühlen, seiner Empörung ist es zu danken, dass uns das Antlitz der Zeit hier tief berührt.

„Maler der Unterdrückten"

Die bis heute geläufige Vorstellung von Nagel als proletarischem Künstler geht zurück auf einen autobiografischen Text, von ihm verfasst für die 1952 im Ostberliner Aufbau-Verlag erschienene Monografie *Otto Nagel. Leben und Werk.*[1] Anlass des Erscheinens von *Leben und Werk* ist die große retrospektive Ausstellung des Œuvres, die 1950/51 in der neu gegründeten Deutschen Akademie der Künste zu Berlin, der späteren Akademie der Künste der Deutschen Demokratischen Republik, stattfindet.[2] Nagel ist Gründungsmitglied und leitet als Akademiesekretär die Sektion Bildende Künste, bevor er 1956 nach dem Tod von Arnold Zweig die Präsidentschaft übernimmt. Ihm unmittelbar nach Gründung eine große Retrospektive zu widmen, ist damals ein Akt von kulturpolitischer Tragweite und Symbolkraft. Der Künstler wird damit zum paradigmatischen Vertreter sozialistischer Kunst gekürt, zum Aushängeschild der sozialistischen Traditionen und kulturellen Ziele der jungen DDR.

Das Geleitwort zu *Leben und Werk* stammt von einem einflussreichen Kulturfunktionär, von Max Schroeder, Cheflektor des 1945 vom Kulturbund zur demokratischen Erneuerung Deutschlands gegründeten Aufbau-Verlages.[3] Schroeder interpretiert Nagels Biografie als Musterbeispiel einer proletarischen Künstlerkarriere. Der einstige „Maler der Unterdrückten" finde „in der antifaschistisch-demokratischen Ordnung, die auf Grund der Potsdamer Beschlüsse auf dem Boden der heutigen Deutschen Demokratischen Republik errichtet wurde [...] nun auch die verdiente offizielle Anerkennung". Im Rückblick auf die künstlerische Entwicklungszeit Nagels in den zwanziger Jahren konstatiert Schroeder eine Sonderrolle des „Arbeitermalers" im „snobistischen Berliner Kulturbetrieb": „Während die meisten seiner Zeitgenossen daran krankten, daß sie zu wenig von der Wirklichkeit kannten und unter formalistischen Einflüssen zauderten, tiefer in sie einzudringen, ging Nagel daran, in Bildern darzulegen, was ihn seit seinen jungen Jahren

Anmerkungen

1 Nagel 1952. Nagel hat sich in seinen letzten Lebensjahren mit dem Projekt einer ausführlicheren Autobiografie getragen und hierfür Entwürfe hinterlassen, die bislang nicht ediert sind. Eine etwas abweichende Version der 1952 veröffentlichten Lebensskizze 1952 gibt Erhard Frommhold im Anhang seiner 1974 erschienenen Monografie über Otto Nagel wieder; vgl. Frommhold 1974, S. 354–366.

2 Vgl. Nagel 1950.

3 https://www.bundesstiftung-aufarbeitung.de/de/recherche/kataloge-datenbanken/biographische-datenbanken/max-urspr-schroeder-schroeder (zuletzt am 13.09.2022).

bedrückt und bewegt hatte. Verwurzelt im heimischen Boden des Berliner Wedding, erwuchs ein werktätiger Mensch zum Künstler."[4] In dieser Interpretation wird Nagel zum idealtypischen Vertreter eines proletarischen Realismus, der sich scharf abhebt von der „Dekadenz" der Avantgarden. Nicht nur „stellte [er] sich vom ersten Tag an in den Dienst des Wiederaufbaus und der demokratischen Erneuerung", er sei auch Vorbild in der aktuellen Auseinandersetzung mit der „Dekadenz", da im Westen Deutschlands eine „formalistische" Kunst kultiviert werde, „die aktiv daran mitwirkt, die Bindungen des Volkes an die gesellschaftliche und der nationale Wirklichkeit zu zerstören".[5]

Zur ideologischen Einordnung zieht Schroeder hier Schlüsselbegriffe der Formalismuskritik heran. Am 20./21. Januar 1951 erscheint in der *Täglichen Rundschau* ein Artikel über „Wege und Irrwege der modernen Kunst", in dem unter anderem Carl Crodel, Horst Strempel und Arno Mohr als „Modernisten, Formalisten, Subjektivisten" scharf angegriffen werden. Und auf dem fünften Plenum des Zentralkomitees der SED vom 17. März 1951 wird ein Beschluss „Kampf gegen Formalismus in Kunst und Literatur, für eine fortschrittliche deutsche Kultur" gefasst und die klare Unterordnung der Kultur unter die Politik dogmatisch festgeschrieben.[6]

Die Kanonisierung Otto Nagels als „Arbeitermaler aus dem Wedding" ist also eingebettet in die sich formierende kulturpolitische Doktrin der 1949 gegründeten DDR und prägt die Interpretation über Jahrzehnte.

„Heimweh nach dem Wedding"

Wie erzählt nun Nagel selbst im Jahr 1952 seine Geschichte? Breiten Raum nehmen die Kindheit und das Erwachsenwerden sowie die Zugehörigkeit zur proletarischen Klasse ein. Eigentlicher Held aber ist „der Wedding", nicht nur als Schauplatz des mal anekdotenreich ausgebreiteten, mal lakonisch abgekürzten Lebensberichts, sondern als ein narratives Konstrukt, in dem sich Biografie und Werk, Kunst und Politik begegnen.

Dieser Berliner Bezirk spielt in der Geschichte der deutschen Arbeiterbewegung eine besondere Rolle, nicht nur wegen der hier besonders verdichteten Ansiedelung der Industriearbeiterschaft, wegen des ausgeprägten proletarischen Millieus, wegen der hohen Stimmenanteile der Sozialdemokratie und der KPD, die den Bezirk zu einer Hochburg der Linken werden lassen. Zwischen 1919 und 1933 ist der Wedding regelmäßig Schauplatz besonders heftiger Auseinandersetzungen in den bürgerkriegsähnlichen Unruhen und daher ein Ort geradezu mythischer Aufladung in der Propagandakultur. Hier spielt Klaus Neukrantz' Roman *Barrikaden am Weddding* (1931), hierauf bezieht sich das von Hanns Eisler und Erich Weinert verfasste gleichnamige Kampflied der Agitproptruppe *Der rote Wedding* (1929), hier finden sich die Vorlagen zahlloser Reportagen, Bildstrecken und Filmsequenzen des medialen Klassenkampfs.

In der Reinickendorfer Straße nahe des Gesundbrunnens wird Otto Nagel am 27. September 1894 als jüngstes von fünf Kindern geboren. Die Familie lebt von den bescheidenen Einkünften der kleinen Tischlerei, die der Vater im zweiten Hinterhof einer Mietskaserne betreibt. In Nagels anschaulicher Schilderung spielt die soziale Herkunft und politische Orientierung der Familie eine wichtige Rolle. Der Vater, „Sozialist mit Leib und Seele" entstammt einer Familie von Landarbeitern, die Mutter ist Fabrikarbeiterin. Finanziell ist die Familie prekär gestellt: „Es ging im wahrsten Sinn des Wortes um jede Scheibe Brot. Belag auf die Stullen gab es nur sonntags und nur für die Verdiener, also für den Vater und den ältesten Bruder."[7]

Bildhaft werden die Schauplätze der Kindheit geschildert: Die Mietskasernen und Hinterhöfe, die Kramläden und Lumpensammelstellen, die Eckkneipen und Gartenlokale. Hier begegnet Nagel den Modellen seiner späteren Porträts – Arbeitern, Lumpenproletariern, Gelegenheitsprostituierten und Ganoven. Zu den Abenteuern der Straßenjungs gehört die Jagd nach Pfandflaschen ebenso wie Reibereien mit den Gendarmen, die Bewunderung für die Streikposten, die Maifeiern und die Turnerfeste der Arbeitersportvereine. In der Rückschau auf diese Kindheit spricht Nagel vom „Heimweh nach dem Wedding", das ihn befällt, wenn er sich in eine andere Gegend der Millionenstadt verirrt.[8]

In der knappen Schilderung der Schulzeit findet sich der erste Hinweis auf ein erwachendes künstlerisches Interesse. Ein junger Zeichenlehrer imponiert dem Heranwachsenden. „Er nahm meine Zeichnungen und Aquarelle ernst, lobte sie, ohne sich aber mehr als oberflächlich mit mir zu beschäftigen [...] So stand ich damals mit meinen künstlerischen Versuchen so gut wie alleine da. Ich habe ei-

4 Nagel 1952, S. 7–9.
5 Ebd., S. 12f.
6 Feist 1990, S. 19f.
7 Frommhold 1974, S. 354.
8 Ebd., S. 358.

nige Blätter, die in dieser Zeit entstanden, noch in Erinnerung. Fast immer spielten Straßen, Plätze mit Menschen eine Rolle, oder es war ein Blick von den Rehbergen auf die Laubenkolonie, im Hintergrund die dumpffarbigen Mietskasernen."[9]

1908 endet die vorgeschriebene Schulzeit. Der Vierzehnjährige ist bis zu diesem Zeitpunkt ohne Förderung seiner zeichnerischen Begabung aufgewachsen, hat aber sein Talent autodidaktisch so weit entwickelt, dass er durch einen Nachbarn zu Bruno Paul, Direktor der Königlichen Kunstgewerbeschule, geführt wird. Bruno Paul habe, so Nagel, die Zeichenproben gelobt und eine Freistelle an der Schule, d. h. eine Qualifikation im kunstgewerblichen Bereich, angeboten. Dies setzt allerdings eine Ausbildung in einem Kunsthandwerk voraus und so nimmt Nagel eine Glasmalerlehre bei den Berliner Glasmalerei- und Mosaikwerkstätten Gottfried Heinersdorff auf. Der Kontakt mit dieser bedeutenden, den Ideen des Deutschen Werkbundes verbundenen Kunstgewerbe-Anstalt des Jugendstils bleibt aber ohne Früchte. Nagel verabscheut die stupide Arbeit mit vorgefertigten Schablonen und das herablassende Benehmen der künstlerischen Mitarbeiter. Als er wegen seiner Teilnahme an der Maidemonstration 1910 vom Betriebsmeister gemaßregelt wird, bricht er seine Lehre ab und arbeitet forthin als Ungelernter in wechselnden Berufen. Dieser frühe Eintritt in das Erwerbsleben, Nagel ist 16 Jahre alt, entspricht den Notwendigkeiten, aber auch den Gebräuchen seines Umfelds. Dazu gehört wie selbstverständlich die Politisierung. Bereits mit Antritt der Lehre wird Nagel Mitglied der Arbeiterjugend, eines der Sozialdemokratie nahestehenden sozialistischen Jugendverbandes. 1912 tritt er in die SPD ein.

Statt in einer enttäuschenden Ausbildung geht Nagel seinen künstlerischen Neigungen als Autodidakt nach. „Ich zeichnete unaufhörlich die Köpfe meiner Kollegen […] Jeden Pfennig, den ich erübrigen konnte, verbrauchte ich für Mal- und Zeichenmaterial. Ich hatte kaum eine richtige Vorstellung von dem, was Kunst ist, war wohl auch in keinem Museum. Ich hatte meine ganz einfachen Schönheitsbegriffe […] Meine proletarische Welt zu gestalten mit all ihren Schwächen und all ihren Stärken, den Leiden, Schicksalen und Forderungen ihrer Menschen war für mich ein Bedürfnis." Eine besondere Bedeutung kommt in dem im Abstand von vier Jahrzehnten niedergeschrieben Lebensbericht der Literatur zu: In einem Antiquariat stößt Nagel auf Fjodor Michailowitsch Dostojewskis *Schuld und Sühne*. „Ich las die ganze Nacht durch, bis zum frühen Morgen, bis zur letzten Seite, und war innerlich erschüttert. So etwas hatte ich bisher nicht erlebt […] Ich ging in die städtische Bücherei, holte mir weitere Werke des russischen Schriftstellers, später auch von anderen guten Autoren, und setzte mich ernsthaft mit den Dingen und Problemen der Welt auseinander […] Natürlich habe ich damals nicht alles verstanden, aber ich bemühte mich sehr, Dinge zu begreifen und so mein Wissen zu vervollkommenen. Den Besuch einer Abendschule, in der Zeichnen nach Gips gepflegt wurde, gab ich bald auf. Es war für mich zu uninteressant; das Zeichnen nach toten Gegenständen gab mir nichts im Vergleich zum Zeichnen nach der Natur, das ich bisher gepflegt hatte."[10]

Es ist bemerkenswert, wie hier, dem Muster eines Entwicklungsromans folgend, die künstlerische, intellektuelle und ethisch-politische Adoleszenz geschildert wird. Nagel versteht seine Bildung als aktiv gestaltete Auseinandersetzung mit der bürgerlichen Gesellschaft, die für das Arbeiterkind keine Teilhabe an Kunst und Kultur vorsieht. Dem stellt er „seine" Welt entgegen, in der scheinbar kein Widerspruch zwischen künstlerischem Interesse und proletarischem Milieu existiert: „Meine Freunde und meine Arbeitskollegen bewunderten meine [zeichnerische, KW] Fertigkeit, aber ich galt bei ihnen gar nicht als Sonderling oder versponnener Außenseiter. Im Gegenteil, ich wurde im Betrieb zum Vertrauensmann gewählt, denn ich war ja kein Träumer, sondern sah die Dinge sehr realistisch […] Jedes neue Bild schleppte ich mit in den Betrieb, und in der Mittagspause wurde dann darüber diskutiert. Diese Zeit von damals möchte ich nicht missen, sie hat mir sehr viel gegeben."[11]

Diese autodidaktische Annäherung an die Kunst, die Idee einer „Schule des Lebens" anstelle einer privilegierten Ausbildung, das sind Topoi der Arbeiterbewegung, in der Selbstbildung in Lesezirkeln und Arbeitskreisen zum politischen Selbstverständnis gehört. Es entspricht Nagels konsequenter Haltung, dass die politisch-künstlerischen Organisationen, in denen er sich ab 1920 engagiert, auch auf dem Gebiet der kulturellen Bildung Aktivitäten entfalten, sei es durch Zeichenunterricht für Arbeitermaler, sei es durch Arbeiterfotografie, sei es durch die Organisation von Ausstellungen in Arbeiterheimen, Parteilokalen oder Kaufhäusern.

Otto Nagel, *Der Jubilar*, aus der Mappe: *Hunger.* 7 Originallithografien, Künstlerhilfe für die Internationale Arbeiterhilfe, Neuer Deutscher Verlag, Berlin 1924

9 Ebd., S. 358..
10 Ebd., S. 361f.
11 Ebd., S. 362.

Auch für Nagel bedeuten der Weltkrieg und die Novemberrevolution 1918 einen biografischen Einschnitt, eine Zeit der politischen Radikalisierung. Als sich 1914 über die Frage der Kriegskredite die Spaltung der deutschen Arbeiterbewegung abzeichnet, kommt es zum Bruch mit dem sozialdemokratischen Vater. Nagel sucht nun die Nähe der Gruppe Internationale und des Spartakusbundes um Karl Liebknecht und Rosa Luxemburg, wird Mitglied der USPD, dann der KPD. Kurz vor Kriegsende wird er zum Militär eingezogen und wegen Verweigerung des Fronteinsatzes in ein Strafregiment versetzt, schließlich auf dem Schießplatz Wahn bei Köln interniert. Am 8. November 1918 schließt er sich dem dort gebildeten revolutionären Soldatenrat an, kehrt aber noch im gleichen Monat auf den Wedding zurück: „Mich hielt es nicht lange in Köln. Ich musste zurück nach Berlin, wo die ersten revolutionären Auseinandersetzungen begonnen hatten."[12]

Der Arbeiter-Künstler

Hat Nagel bislang nach eigenem Bekunden kaum Kontakt zum zeitgenössischen Kunstleben, so ändert sich dies nach der Rückkehr rasch. Zugleich scheint sich in der revolutionären Aufbruchstimmung sein Ideal einer Verbindung von künstlerischer Praxis und sozialistischer Politik zu erfüllen. Dem Vorbild der Arbeiter- und Soldatenräte folgend findet sich im November 1919 in Berlin der „Arbeitsrat für Kunst" zusammen. Unter den Leitsätzen „Kunst und Volk müssen eine Einheit bilden, eine neue Menschengemeinschaft" und „Die Kunst soll nicht mehr Genuss weniger, sondern Glück und Leben der Masse sein"[13] engagieren sich Architekten, Maler, Bildhauer, Kunsthistoriker, Publizisten und Museumsleute in der Vereinigung. Der „Arbeitsrat für Kunst" wirkt als ein Sammelbecken expressionistischer und post-expressionistischer Künstler und Intellektueller, die in der politischen und gesellschaftlichen Umbruchsituation ihren künstlerischen Aufbruch mit sozial-utopischen Ideen verbinden und zugleich – im Moment der Krise der althergebrachten Kulturinstitutionen – nach neuen Formen der Öffentlichkeit und der beruflichen Selbstorganisation suchen. Zentrale Figur und zugleich Mittler zu Nagel ist der umtriebige Kunstschriftsteller, Journalist und Organisator Adolf Behne, Mitgründer und gemeinsam mit César Klein und Walter Gropius Vorsitzender des „Arbeitsrats". Nagel geht in seinen Memoiren nur kurz auf diesen ersten Kontakt mit der Moderne ein, vielleicht weil 1952 die Erinnerung an seine expressionistischen und kubofuturistischen Experimente nicht opportun erscheint. So formuliert er lakonisch: „Anfang 1919 kam ich mit Adolf Behne zusammen, der auch den ‚Arbeitsrat für Kunst' leitete und der zum ersten Male Blätter von mir auf einer Ausstellung des Arbeitsrats zeigte. Adolf Behne war mir bis zu seinem Tode im Jahr 1948 Freund und Förderer. Ich begann in Öl zu arbeiten, viele Blätter in Pastell und Aquarell zu schaffen."[14]

Behne seinerseits erinnert sich an den malenden Arbeiter mit folgenden Worten: „Für alles Große und Echte der Kunst hatte dieser schmale und abgezehrte Arbeiter aus dem Wedding leidenschaftliche Neigung und sicheres Gefühl, und es war in ihm ein stürmischer Drang, das Gut der Kunst allen seinen Kameraden nahezubringen. Uns, die wir vom Bürgerlichen her dem gleichen Ziel zugingen, kam Nagel von drüben entgegen [...] Als Maler entwickelte sich Otto Nagel in einem fast unwahrscheinlichen Tempo".[15]

Mit Behne und seinem Kreis – unter anderem ergeben sich hier Kontakte zu Oskar Fischer, John Heartfield, Gabriele Münter, László Moholy-Nagy und El Lissitzky – verbindet Nagel die revolutionäre Aufbruchstimmung und Rhetorik. Zugleich trennt ihn jedoch seine autodidaktische Kunstausübung von den Avantgardezirkeln „gelernter" Künstler ab, zumal sein Realismus eher den Darstellungskonventionen des 19. Jahrhunderts verbunden ist als den Formexperimenten der Zeitgenossen. Tatsächlich sind im Œuvre dieser Jahre einige wenige Gemälde, Pastelle und Zeichnungen erhalten, in denen Nagel mit der Formensprache des Expressionismus, Kubofuturismus und Konstruktivismus experimentiert und in denen er sich insbesondere mit August Macke auseinandersetzt. Auch hier versucht Nagel zwar, „seine" Themen, die Arbeitswelt des Wedding oder die politischen Ereignisse der Revolution in den neuen Formen zu artikulieren, jedoch bleibt es beim kurzlebigen Experiment. Bereits 1921 ist in seiner Arbeitsweise eine Rückkehr zu realistischer Auffassung zu bemerken, zu der ihm Behne in der Annahme geraten hat, seine Stärke liege eher in der authentischen Schilderung als in der künstlerischen Überhöhung der sozialen Wirklichkeit. So ist Nagels Weg zur Künstlerschaft von Beginn an mit dem Attribut des „Arbeitermalers" in doppeltem Wortsinn versehen, nämlich als Darsteller der Arbeiterklasse und als malender Arbeiter zugleich.

12 Ebd., S. 364.
13 Wilhelmi 1996, S. 60f.
14 Nagel 1952, S. 26.
15 Behne 1948.

Otto Nagel, *Die Budike – Wedding-Kneipe*, 1926, Öl/Lwd, ca. 200 x 360 cm, verschollen

Der „Arbeitsrat für Kunst" bespielt in der Petersburger Straße 39 die Räume der Verlagsbuchhandlung Ernst Friedrich mit wechselnden „Arbeiter-Kunst-Ausstellungen", für die Behne bereits im Winter 1919 erste Zeichnungen Nagels auswählt.[16] Im Mai 1921 findet dann bei Friedrich die erste Einzelausstellung Nagels statt (Abb. S. 8). Mit dem Anarchisten und Antimilitaristen Ernst Friedrich teilt Nagel die proletarische Herkunft, die Erfahrung eines Lebens als Fabrikarbeiter und die Ablehnung des Kriegsdienstes. Friedrichs Räume in der Petersburger Straße sind ein Treffpunkt Jugendlicher, Intellektueller und Künstler aus dem linken Spektrum, Ort von Ausstellungen, Vorträgen und Diskussionszirkeln. Nagels erste Ausstellung findet nicht nur in der linken Presse Berlins, sondern auch im bürgerlichen Feuilleton Beachtung, die Kunstkommission des Berliner Magistrats bemüht sich um einen Ankauf, Nagel kommt in Kontakt zu Käthe Kollwitz und Heinrich Zille, mit denen er zeitlebens in freundschaftlichem Austausch bleibt.

In das Jahr 1921 fällt ein weiteres wichtiges Ereignis. Ist Nagel bis dahin für seinen Broterwerb noch auf die Einkünfte als Fabrikarbeiter angewiesen, so verliert er im März wegen kommunistischer Agitation seine Arbeit, wird auf eine „schwarze Liste" der Unternehmer gesetzt und damit von künftiger Anstellung faktisch ausgeschlossen. Um die SPD-geführte Reichsregierung zu schwächen, versucht die KPD, gewaltsame Aufstände im mitteldeutschen Industrierevier herbeizuführen, und proklamiert am 24. März einen Generalstreik für das ganze Reich. Es kommt zu blutigen Zusammenstößen zwischen Arbeitern und Regierungstruppen. Nagel betätigt sich in Berlin als Organisator und Agitator für den revolutionären Streik und wird daraufhin entlassen. Er wird nun, wie er nicht ohne Ironie feststellt, zum freischaffenden Künstler wider Willen: „Notgedrungen, denn die ‚schwarze Liste' nahm mir jede Möglichkeit, in einem Betrieb tätig zu sein, wurde ich ein freischaffender Maler. Es war natürlich nicht leicht, sich durchzuschlagen; aber es gab ein paar Freunde, die an meine Kunst glaubten und sich Mühe gaben, die kleinen Blättchen abzusetzen. Meist waren die Käufer Gesinnungsfreunde, Arbeiter, Angestellte, aber auch Intellektuelle, die sich für ein paar Mark ein Blatt zulegten. Was ich als Arbeiter in der Fabrik verdient hatte, nahm

16 Friedrich gründet 1925 das Anti-Kriegs-Museum in der Parochialstraße 29.

ich schließlich auch so ein. Von nun an machte ich meinen Weg als Künstler."[17]

Das Wort vom „Weg als Künstler" ist nicht ganz ohne Einschränkungen zu nehmen. Zwar gelingt es Nagel im folgenden Jahrzehnt, sich in der Berliner Kunstszene einen Namen zu machen. Regelmäßig nimmt er an den Jahresausstellungen im Ausstellungsgebäude am Lehrter Bahnhof teil, an der „Juryfreien Kunstschau", an den Ausstellungen der Preußischen Akademie der Künste und an thematischen Schauen der Berliner Bezirke. Er beteiligt sich an Kollektivausstellungen in Amsterdam und Breslau und zeigt 1926 in einer breit besprochenen Ausstellung 70 Arbeiten im Lokal „Sängerheim" im Wedding. Mit den Motiven aus dem Alltag der Arbeiterfamilien, der kleinen Ganoven und Nutten, der Kneipengäste und Lumpenproletarier – zugleich Objekt seiner moralischen und politischen Solidarisierung und Markenzeichen seiner Kunst – erwirbt er sich auch außerhalb des linken Spektrums Respekt, was sich in Franz Servaes Wort vom „Klassiker vom Wedding" treffend niederschlägt.[18] Zugleich aber bildet sich bei Publikum und Kritik die Wahrnehmung von Nagel als Kleine-Leute-Maler aus, wie dies auch für Zille, Hans Baluschek und Hugo Krayn gilt. Die Wertschätzung, die Nagel erfährt, hat viel mit seinem unermüdlichen, weit über kulturpolitische Strategien der Parteiführung hinausgehenden Engagement für die Künstlerschaft zu tun. Kurz: Nagel entspricht keineswegs dem Typus des professionellen Künstlers der Berliner 1920er-Jahre, weder nach Herkunft und Ausbildung, noch nach Habitus und Marktzugang, am wenigsten aber hinsichtlich jenes vorantreibenden, ostentativen Formwillens, der in der raschen Abfolge der Stile so zeittypisch ist. Mit seiner etwas exotischen Sonderstellung als proletarischer Maler erscheint Nagel dagegen eher als ein semiprofessioneller Chronist seines Milieus.

Der Aktivist

Die bis an die Schwelle des Bürgerkriegs radikalisierten politischen Richtungskämpfe finden in den Künsten ihren Niederschlag. Viele Künstler der Linken verstehen ihr Schaffen als unmittelbar wirkendes Element der gesellschaftlichen Auseinandersetzung. Ihre Haltung zum Kunstwesen, zur Öffentlichkeit, zur Kunstpflege in Institutionen und Verbänden, zum Markt erscheint ihnen als ein Feld, auf dem revolutionäre Veränderungen ebenso durchzusetzen seien wie generell in der Politik, der Wirtschaft, der Gesellschaft. Für diese Zuspitzung der Konflikte und für die verbreitete Überzeugung, im Auftrag einer legitimierenden Idee zu handeln, gibt es viele Gründe: Trauma und Gewalterfahrung des Krieges, Versagen und Untergang des alten Ordnungsgefüges, wirtschaftliche Krisen und soziale Not sowie das Vorbild der russischen Oktoberrevolution.

Im Laufe der 1920er-Jahre wandeln sich die gesellschaftliche Lage und der kulturelle Zeitgeist und mit ihnen Haltung und Strategie sozialistischer und kommunistischer Künstlergruppen und Kulturorganisationen. Die Zeit unmittelbar nach der Revolution ist von sozialutopischen und avantgardistischen Tendenzen geprägt, von der Faszination durch die radikale Ästhetik des Suprematismus und des Proletkults in der jungen Sowjetunion. Mit der für einige Jahre eintretenden Stabilisierung der Weimarer Republik geht um 1924/25 auch in den Künsten die Zeit der Experimente zu Ende. Dem entspricht die „Neue Sachlichkeit", wie das Schlagwort für die überall zu beobachtende Hinwendung zum Realismus lautet. Die kulturpolitische Linie der KPD zielt nun, der sowjetischen Kulturpolitik vor Lenins Tod 1924 folgend, stärker auf propagandistische Wirkungsabsichten und Bündnisse mit der Sozialdemokratie und dem fortschrittlichen Bürgertum. 1929 erfolgt dann ein Bruch. Politisch und kulturell kommt es zu scharfer Agitation gegen den „Sozialfaschismus", zu strikter Kaderpolitik und zur konsequenten Unterordnung der Kulturaktivitäten unter die Zwecke des Klassenkampfs.

Nagel ist als überzeugter und organisierter Kommunist in diese Wendungen eingebettet, zumal er sich selbst nicht nur als Künstler sieht, sondern mindestens ebenso als politischen Akteur im Dienst der großen Sache. So betätigt er sich zwischen 1919 und 1933 intensiv und umfassend als Ausstellungsorganisator, Herausgeber und Verbandsaktivist, wobei er sich ideologisch und beruflich KPD-nahen Organisationen im Kontext des roten „Medienkonzerns" von Willi Münzenberg zuordnet. Vor allem die Internationale Arbeiterhilfe (IAH) mit ihren Unterorganisationen und Netzwerken bietet hierfür die Operationsbasis. Infolge von Zwangseintreibungen von Getreide bei den Bauern, des Bürgerkriegs und einer Dürrekatastrophe kommt es 1921/1922 zu einer Hungersnot im Wolgagebiet, der mehrere Millionen Menschen zum Opfer fallen. Unter dem Vorsitz von Münzenberg

17 Nagel 1952, S. 27.
18 So der Kritiker Franz Servaes in einer Besprechung der Nagel-Ausstellung in der Kunsthandlung Hartberg im *Tag* vom 14. Jan. 1931, zit. nach Frommhold 1974, S. 145.

wird in Deutschland im August 1921 die IAH gegründet; sie verbindet die Sammlung von Geldern für die Hungernden in der Sowjetunion mit Hilfs- und Propagandaaktionen in Deutschland.

Es ist wahrscheinlich, dass der Kontakt Nagels zu Münzenberg über Behne zustande gekommen ist. Dieser wird von der IAH als Kontaktmann für eine Ausstellung russischer Gegenwartskunst in Deutschland angesprochen, die dann schließlich im Oktober 1922 in der Galerie van Diemen Unter den Linden stattfindet.[19] Für eine unmittelbare Beteiligung Nagels an der Organisation der Ausstellung bei van Diemen gibt es zwar keinen Beleg, Nagel ist jedoch seit 1921 als Sekretär der Künstlerhilfe innerhalb der IAH mit deren Ausstellungsaktivitäten verbunden. 1924/25 findet im Gegenzug eine Kollektivausstellung deutscher Gegenwartskünstler in Moskau und anderen Städten der Sowjetunion statt, erneut organisiert von der IAH.[20] Münzenberg beauftragt Nagel, die Künstlerauswahl zu treffen und die Ausstellung nach Moskau, Saratow und Leningrad zu begleiten. Im Juli 1925 kehrt Nagel gemeinsam mit der Schauspielerin Valentina Nikitina, die er in Leningrad kennengelernt und geheiratet hat, nach Berlin zurück.

Auch an anderen Unternehmungen innerhalb des von Münzenberg geführten Netzwerks ist Nagel beteiligt. Publizistisch und editorisch arbeitet er für Münzenbergs Neuen Deutschen Verlag und dessen auflagenstarke Blätter *Arbeiter Illustrierte Zeitung* und *Rote Fahne*. Bedeutsam für die Geschichte der grafischen Künste in Deutschland wird die Herausgabe der Mappe *Hunger* mit Originallithografien von Otto Dix, George Grosz, Eric Johannson, Kollwitz, Nagel, Karl Völker und Zille, die 1924 im Neuen Deutschen Verlag als Edition der Künstlerhilfe erscheint (Abb. S. 11). 1928 bringt Nagel im gleichen Verlag gemeinsam mit Zille das satirische Magazin *Eulenspiegel* heraus. Im gleichen Jahr übernimmt er gemeinsam mit Kollwitz und Baluschek das „Protektorat" für den „großen Zille-Film" *Mutter Krausens Fahrt ins Glück*, wie es auf dem Filmplakat heißt. Als Freund des jüngst verstorbenen Heinrich Zille und als Chronist proletarischer Lebensumstände steht er damit für den authentischen Inhalt dieses Stummfilms ein, zu dem er Handlungsideen beisteuert. Der Film wird von der Prometheus Film produziert, von Münzenberg 1924 ins Leben gerufen, um sowjetische Filme nach Deutschland zu bringen und eigene proletarische Spiel- und Dokumentarfilme zu verlegen.

Ein Feld unermüdlicher Aktivitäten ist die Mitwirkung in Künstlergruppen und die Verbandsarbeit. 1924 schließt Nagel sich dem kommunistischen Künstlerbund „Rote Gruppe" an, die von Grosz, Heartfield und Rudolf Schlichter ins Leben gerufen wird.[21] Die Gruppe propagiert die Kunst als „Werkzeug im Dienste des Klassenkampfs" und stellt dementsprechend Propaganda und Agitation in den Mittelpunkt ihres Programms. Ihren ersten geschlossenen Auftritt hat die Gruppe auf der von Nagel organisierten „Ersten allgemeinen deutschen Kunstausstellung" in Russland. 1928 schließt sich die Rote Gruppe mit kommunistischen Mitgliedern des Reichsverbandes der bildenden Künstler zur „ASSO" (Assoziation Revolutionärer Künstler Deutschlands) zusammen.[22] Nach dem Vorbild der „Assoziation der Künstler des Revolutionären Russland" (ACHRR) versteht sich die „ASSO" als Massen- und Kampforganisation der revolutionären Künstlerschaft in Deutschland. Die „ASSO" entfaltet ein breites Spektrum künstlerisch-propagandistischer Aktivitäten, das u. a. Plakatkunst, Fotografie und Zeitungsgestaltung umfasst, aber auch die Ausgestaltung von Arbeiterheimen und Agitprop-Theater.

Als autodidaktisch gebildeter Künstler und als revolutionärer Aktivist findet Nagel in der „ASSO" einen Handlungsrahmen und Resonanzraum, der seinen Erfahrungen und Zielsetzungen entspricht. Andererseits teilt er weder die Hinwendung der „ASSO" zur Agitprop-Kunst noch die Ausgrenzung der als „reformistisch" geschmähten Künstlerinnen und Künstler wie etwa Kollwitz und Baluschek. Nagel zeigt in seiner Haltung also einen gewissen Nonkonfomismus. So vermisst Alfred Durus, der Kritiker der *Roten Fahne*, bei Nagel die optimistische Kampfperspektive des Proletariats und kreidet ihm seine traditionalistische Malweise an: „Dieser bedeutendste deutsche proletarische Maler [ist] nur zu einem ganz geringen Teil ein revolutionärer Künstler."[23]

Ungeachtet dieses Verdikts entfaltet Nagel seine Aktivitäten als erfolgreicher Ausstellungsorganisator, wobei ihm nicht nur seine Tatkraft und sein Organisationsgeschick zugutekommen, sondern auch die Anerkennung als integrer Kollege, der sich um die Einbindung der fortschrittlichen Künstlerschaft in ihrer ganzen Bandbreite bemüht. So begleitet er nicht nur, wie erwähnt, die Ausstellung deutscher Gegenwartskunst 1924/25 in die Sowjetunion, sondern organisiert 1926 gemeinsam mit Kollwitz, Baluschek, Hermann Sandkuhl und

19 Adkins 1988.

20 Pyschnowskaja 1996. Siehe den Artikel von Sergey Fofanov in diesem Katalog.

21 Wilhelmi 1996, S. 314f.

22 Auch „Assoziaton Revolutionärer Bildender Künstler Deutschlands" (ARBKD); vgl. Wilhelmi 1996, S.7 0f., Kramer 1977.

23 Durus 1931; vgl. auch Gillen 1977, S. 224.

August Sander,
Berliner Kohlenträger, 1929
© Die Photographische Sammlung/SK Stiftung Kultur - August Sander Archiv, Köln; VG Bild-Kunst, Bonn

Zille eine umfangreiche Ausstellung sozial-realistischer Kunst, die in mehreren Berliner Warenhäusern gezeigt wird.[24] 1930/31 stellt er Ausstellungen von Zille und Kollwitz zusammen und 1931 arrangiert er die Ausstellung *Frauen in Not*, die von der im Münzenbergkonzern erscheinenden Frauenillustrierten *Der Weg der Frau* im Rahmen einer Kampagne gegen den Abtreibungsparagraphen 218 initiiert wird.

So erscheint auch Nagels Rolle als kommunistischer Kulturmanager von Ambivalenzen gekennzeichnet. Er engagiert sich im Auftrag KPD-naher Organisationen, Künstlergruppen und Verbände, doch ist er kein doktrinärer Funktionär. Seine Position, so scheint es, ist nicht von autoritativer Kaderpolitik geprägt, sondern von solidarischer und gewissermaßen pädagogischer Hinwendung zum „Klassenbruder". Idealismus und Pragmatismus zugleich kennzeichnen diese Haltung, die Nagel im Urteil der Zeitgenossen, weit über den parteilichen Zirkel hinaus, Anerkennung einbringt.

Antlitz der Zeit

Zwischen Politik und Kunst – nach beiden Seiten seines Wirkens hin scheint Nagel in dem, was er *nicht* ist, leichter zu fassen, als in dem, was er ist. Seine Geschichte spielt den Zeitumständen geschuldet zwischen linkem Aktivismus und kommunistischem Kulturmanagement, zwischen autodidaktischer Kunst und gemalter Reportage, und sie verläuft alles andere als widerspruchsfrei, geradlinig oder monolithisch.

Im Schnittpunkt der künstlerischen und der politischen Positionierung Nagels stehen die Porträts, in denen der Künstler versucht, in der Darstellung der Individuen das Überpersönliche, gesellschaftlich Gebundene einzufangen. Nagel versteht sich als Chronist der Lebensumstände der Unterdrückten und Ausgebeuteten, denen seine Sympathie gilt. Nicht von ungefähr weist er in seiner Autobiografie auf die tiefen Eindrücke hin, die die Lektüre Dostojewskis bei ihm hinterlassen hat. Dessen altruistisch-christlicher Themenkreis, das Mitleiden mit den Ärmsten der Gesellschaft, klingt bei Nagel an, ohne dass er sich explizit in einen religiösen Kontext stellt: „Da hing [in den Ausstellungen, KW] der ausgemergelte *Büromensch*, das arme *Hürchen*, *Der Arbeiter mit dem Star*, der *Asylist* und anderes. Es waren keine Phantome, die ich dargestellt hatte, sondern Menschen, die es gab, ich kannte sie, lebte mit ihnen draußen am Wedding, sie waren meine Modelle [...] Die armselige Kreatur, der Geprügelte und Unterdrückte, in dessen Gesicht und Haltung sich das ganze Elend seines Lebens ausdrückte, stand mir nahe; er war mein Bruder."[25] Echte Anteilnahme und Interesse an seinen „Modellen" schlagen sich auch darin nieder, dass Nagel sich Aufzeichnungen über ihre prekäre soziale Lage, Wohnsituation, Familienverhältnisse, Krankheiten usw. macht. So berichtet er beispielsweise zum *Idioten*[26] eingehend, wie er den Dargestellten kennenlernt, sich mit ihm unterhält, dessen Lebens- und Leidensgeschichte erfährt. In ähnlicher Weise schildert er die Entstehung eines seiner bedeutendsten Bildnisse, *Der 70. Ge-*

24 Vgl. Hoffmann 2019.
25 Nagel 1952, S.27.
26 Schallenberg-Nagel 1974, Werkverz. Nr. 45.
27 Ebd., Werkverz. Nr. 220.
28 Schallenberg-Nagel 1974, Ebd., Werkverz. Nr. 97-105.

burtstag des Waldarbeiter Scharf,[27] das sich einer zufälligen Begegnung verdankt.

Einen Schritt weiter geht Nagel durch die Montage von Einzelbildnissen zu großformatigen Gemeinschaftsbildern, in denen das psychologische Interesse sich auf die soziale Interaktion der Dargestellten ausweitet. Die *Budike (Wedding-Kneipe)*[28] besteht aus neun Einzelbildern und schildert das Personal eines KPD-Parteilokals in der Schulstraße (Abb. S. 13). Um Richard, den Wirt, versammeln sich wie die Heiligen in einem Wandelaltar „Hermann, der Philosoph", die Hure „Zottel", „Willi, der Boxer", „Willi, der Pole" und andere zum proletarischen Bühnenspiel. In der Aussage schärfer ist das Montagebild *Weddinger Familie.*[29] In sieben Einzelbildern schildert es „die Zerrissenheit innerhalb der deutschen Arbeiterschaft [...] Diese Zerrissenheit, die dann später zur großen Tragödie unseres Volkes führte und uns in den Nazismus münden ließ, wollte ich mit meinem zusammenfassenden Bild dem Betrachter vor Augen führen".[30]

Mit dieser Auffassung des sozialen Typenporträts gehört Nagel einer Strömung des kritischen Realismus der deutschen Zwischenkriegsmalerei zu, wie sie auch in der Porträtkunst von Dix, Schlichter, Hans und Lea Grundig, Max Querner und vielen anderen zu finden ist. Auch in der zeitgenössischen Soziologie, Literatur und Kulturwissenschaft lassen sich Tendenzen aufzeigen, in der die soziale Schichtung der Gesellschaft exemplarisch an einzelnen Typen belegt wird, man denke an Siegfried Kracauers Studie *Die Angestellten* (1930), die Romane von Alfred Döblin oder Hans Fallada, an die satirische Überzeichnung sozialer Typen in der *Dreigroschenoper* (1928). Das Interesse an der dokumentarischen Sozialtypologie spielt auch in der Fotografie der Zeit eine Rolle. Das bekannteste Projekt ist August Sanders 1925 konzipiertes, umfassendes Dokumentarprojekt *Menschen des 20. Jahrhunderts*, in dem die gesamte soziale Gliederung der Gesellschaft in typischen Porträts analysiert und dokumentiert werden soll. Auch den „Arbeitertypen" ist darin eine Mappe zugedacht. Teile der von August Sander gefertigten Fotoporträts werden 1927 im Kölnischen Kunstverein unter dem Titel „Antlitz der Zeit" präsentiert und 1929 publiziert. Alfred Döblin beschreibt im Geleitwort Sanders Porträts mit Worten, die treffend auch auf Otto Nagels Typenstudien und Menschenbilder gemünzt sein könnten: „Wir sprechen jetzt von der erstaunlichen Abflachung der Gesichter und Bilder durch die menschliche Gesellschaft, durch die Klassen, durch ihre Kulturstufe. Dies ist [neben dem Tod, KW] die zweite gleichmachende oder angleichende Anonymität."[31] ■

Literatur

Adkins 1988 – Helen Adkins, Erste Russische Kunstausstellung, in: *Stationen der Moderne. Die bedeutendsten Kunstausstellungen* des 20. Jahrhunderts in Deutschland (Ausst.-Kat. Berlinische Galerie), Berlin 1988, S. 184–215.

Behne 1948 – Adolf Behne, „Rinnsteinkunst", in: *Aufbau. Kulturpolitische Monatsschrift*, 4 (1948), H. 5, S. 420, zit. nach Frommhold 1974, S. 71.

Durus 1931 – Alfred Durus, Ein bedeutender Maler des Weddinger Proletariats. Otto Nagel der Arbeitermaler, in: *Die Rote Fahne*, 14 (1931), Nr. 24.

Feist 1990 – Museumspädagogischer Dienst Berlin (Hg.), *Kunstkombinat DDR. Daten und Zitate zur Kunst- und Kulturpolitik der DDR 1945–1990*, zusammengestellt von Günter Feist unter Mitarbeit von Eckart Gillen, 2. Aufl. Berlin 1990.

Frommhold 1974 – Erhard Frommhold, *Otto Nagel. Zeit. Leben. Werk*, Berlin 1974.

Gillen 1977 – Eckhart Gillen, Die Sachlichkeit der Revolutionäre. Die Bedeutung von ‚Verismus', ‚Konstruktivismus' und ‚Neuer Sachlichkeit' für die revolutionäre Kunst der 20er Jahre in Deutschland und der Sowjetunion, in: *Wem gehört die Kunst? Kunst und Gesellschaft in der Weimarer Republik* (Ausst.-Kat. Neue Gesellschaft für Bildende Kunst, Staatliche Kunsthalle Berlin), Berlin 1977, S. 205–256.

Hoffmann 2019 – Tobias Hoffmann, Was ist proletarische Kunst? *Berliner Realismus zwischen Proletkunst und heroischem Realismus, in: Berliner Realismus. Von Käthe Kollwitz bis Otto Dix. Sozialkritik – Satire – Revolution* (Ausst.-Kat. Bröhan-Museum), Berlin 2019, S. 122–181.

Kramer 1977 – Jürgen Kramer, Die Assoziation Revolutionärer Bildender Künstler Deutschlands (ARBKD), in: *Wem gehört die Kunst? Kunst und Gesellschaft in der Weimarer Republik* (Ausst.-Kat. Neue Gesellschaft für Bildende Kunst, Staatliche Kunsthalle Berlin), Berlin 1977, S. 174–204.

Nagel 1950 – *Otto Nagel. Werke aus drei Jahrzehnten.* Ausstellung 15. Dezember 1950 bis 15. Januar 1951 (Ausst.-Kat. Deutsche Akademie der Künste zu Berlin), Berlin 1950.

Nagel 1952 – Otto Nagel, *Leben und Werk*, Berlin 1952.

Pyschnowskaja 1996 – Sinaida Pyschnowskaja, Deutsche Kunstausstellungen in Moskau und ihre Organisatoren, in: *Berlin-Moskau / Moskau-Berlin 1900-1950* (Ausst.-Kat. Berlinische Galerie), Berlin 1995, S.186–191.

Sander/Döblin 1929 – August Sander, *Antlitz der Zeit. Sechzig Aufnahmen deutscher Menschen des 20. Jahrhunderts*, mit einer Einleitung von Alfred Döblin, München 1929, S. 7–15.

Schallenberg-Nagel 1974 – Sibylle Schallenberg-Nagel und Götz Schallenberg, *Otto Nagel. Die Gemälde und Pastelle*, Berlin 1974.

Wilhelmi 1996 – Christoph Wilhelmi, *Künstlergruppen in Deutschland, Österreich und der Schweiz seit 1900. Ein Handbuch*, Stuttgart 1996.

29 Schallenberg-Nagel 1974, Ebd., Werkverz. Nr. 151-157.
30 Ebd., S. 115.
31 Sander/Döblin 1929, S.10.

Ansicht der Ausstellung in Saratow, 1924/25, Ausstellungsteil im 1. Obergeschoss, Abteilung für politische Kunst, u. a. mit Werken von Wilhelm Rudolph (Nr. 120), Otto Nagel (114, 115), Erik Johansson (119, 121), Georg Scholz, Oskar Schlemmer (432), Magnus Zeller (110, 111, 112), Franz Seiwert, Albert Birkle, Otto Griebel, Karl Holtz, ebenso das Dix-Gemälde *Mädchen am Spiegel* (113), Karl Kraus (108)
Fotografie: A. W. und W. W. Leontjew, Archiv des Radischtschew-Kunstmuseums, Saratow

Anmerkungen

1 Marko Brun (N. M. Archangel'skij), Vystavka germanskich chudožnikov v Saratove (K otkrytiju v Radiščevskim muzee) [Die Ausstellung der deutschen Künstler in Saratow (Zur Eröffnung im Radischtschew-Museum], in: *Izvestija Saratovskogo Soveta rabotčich, soldatskich i krest'janskich deputatov* [Mitteilungen des Saratower Sowjets der Arbeiter-, Soldaten und Bauerndelegierten], (im Folgenden: *Izvestija Saratovskogo Soveta*) 21.12.1924, S. 2.

2 V.I. Lenin, Obraščenie k meždunarodnomy proletariatu [Appell an das internationale Proletariat], in: *Pravda*, Nr. 172 vom 6.8.1921, S. 3. – Zum Zeitpunkt des Aufrufs stand Lenin, Parteiführer der russischen Kommunisten (Bolschewiki), die führende Kraft der 1919 gegründeten III. (kommunistischen) Internationale, als Vorsitzender des Rates der Volkskommissare an der Spitze der Regierung der Russischen Sozialistischen Föderativen Sowjetrepublik (RSFSR). Im russischen Bürgerkrieg (1919-1921/22) werden auch Gebiete von der sowjetischen Roten Armee erobert und zunächst der RSFSR angegliedert, die seit Ende 1922 zur neuen Ukrainischen Sozialistischen Sowjetrepublik innerhalb der Sowjetunion gehören.

Sergey Fofanow

Der rote Kurator – Otto Nagel als Ausstellungsmacher in der Sowjetunion

„Die Ausstellung – ein Messerstich, der beinahe das Herz traf. Dies ist ein erschütternder Aufschrei der zu Tode erschütterten Seele."[1]

A. N. Lunatscharski

Der Aufruf

Im Jahr 1921 erscheint in der Zeitung *Prawda* Lenins Appell an das internationale Proletariat mit der Bitte um Unterstützung für die Hungernden im kommunistisch regierten Sowjetrussland.[2] Dieser Hilferuf im Kampf gegen die schreckliche Hungersnot, die im Wolga-Gebiet und im Süden der Ukraine grassiert, wird in aller Welt gehört. Viele nicht-staatliche Organisationen und Vereine, darunter auch Künstler, werden daraufhin aktiv.

So veröffentlicht die Zeitschrift *Der Gegner*, herausgegeben vom Malik-Verlag in Berlin, im Oktober 1921 den Aufruf „An alle Künstler und Intellektuellen!"[3] Dessen Initiator ist das im gleichen Jahr gegründete „Komitee Künstlerhilfe für die Hungernden in Russland", dem bekannte deutsche Künstler und Autoren wie Käthe Kollwitz, George Grosz, Alfons Paquet, Arthur Holitscher, Max Barthel und andere angehören. In demselben Heft ruft der Sekretär des Komitees, der Theaterregisseur Erwin Piscator, zum Zusammenschluss aller Kreativarbeiter für die sogenannte Russlandhilfe auf:

„Schriftsteller, Maler, Wissenschaftler, Intellektuelle, die ihr euch bemüht, in euren Werken und Taten eine vollkommene Welt in Harmonie und Schönheit zu gestalten, die ihr am Unvollkommenen und Gebundenen nicht ohne Erschütterung vorübergeht, Künstler, Philosophen, Arbeiter des Geistes: Hört unseren Ruf: In Rußland verhungern zwanzig Millionen Menschen! Ihr müßt und ihr werdet helfen! Unterstützt überall tatkräftig durch eure Kunst und eure Kenntnisse und Begabungen den Kampf der Arbeiterschaft gegen den Hunger im Osten. Redet in Versammlungen, in Theatern, ergreift die Initiative bei Feiern und Zusammenkünften, veranstaltet Ausstellungen und Kunstabende und liefert den Reinertrag bedingungslos für die Hungergebiete ab! Besprecht euch mit euren Verlegern, Direktoren, Kunsthändlern usw., veranlaßt sie, den Reinertrag von diesem oder jenem eurer Werke dem Fonds für die Hungernden zuzuführen; organisiert euch zum Zweck einheitlicher und tatkräftiger Hilfeleistungen!"[4]

Der junge Otto Nagel, Autodidakt aus dem Berliner Wedding, ist Mitgründer und Sekretär der Künstlerhilfe („Gemeinnützige Organisation der Künstler und Kunstfreunde"), begründet unter dem Dach der Internationalen Arbeiterhilfe (IAH).[5] Nach der Novemberrevolution 1918 tritt der vierundzwanzigjährige Nagel der Kommunistischen Partei Deutschlands (KPD) bei. Im Folgejahr lernt er Adolf Behne kennen, Präsidiumsmitglied im „Arbeitsrat für Kunst"[6], der seine ersten Schritte als freier Künstler unterstützt. Durch Behnes Vermittlung werden 1921 Arbeiten des jungen Malers auf der „Arbeiter-Kunst-Ausstellung" gezeigt. Dort kommt eine erste Begegnung Otto Nagels mit Käthe Kollwitz zustande.

Die „Erste Russische Kunstausstellung" in der Galerie Van Diemen ist 1922 ein Hauptereignis im Berliner und deutschen Kunstleben.[7] Diese Ausstellung wird mit Unterstützung der IAH organisiert. Sie soll Errungenschaften russischer Kunst aus jüngster Zeit vorstellen

3 An alle Künstler und Intellektuellen!, in: *Der Gegner*, Jg. 1, Nr. 12 vom 10.10.1921, S. 415.

4 Ebd.

5 Von dem deutschen Kommunisten Willi Münzenberg im Auftrag Lenins 1921 gegründete, seither erfolgreich agierende und stark expandierende internationale Hilfsorganisation mit Büros in Berlin und Moskau (russ. Meždunarodnaja rabočaja pomošč, Abk.: Meschrabpom). Deren Auftrag war das Einsammeln von Spenden für die Hungerhilfe. Mit diesen Finanzmitteln baute Münzenberg in der RSFSR zudem ein Netz von Betrieben auf. Nach Überwindung der Hungerkatastrophe wird Meschrabpom u. a. auch im Filmgeschäft tätig und zum Vermittler sowjetischer Kinofilme in Deutschland.

6 Der „Arbeitsrat für Kunst" war ein Zusammenschluss von Architekten, Malern, Bildhauern und Kunstschriftstellern, der sich 1918 in Berlin gründete und bis 1921 bestand. Der Zusammenschluss war als Reaktion auf die in dieser Zeit gegründeten Arbeiter- und Soldatenräte entstanden und beabsichtigte aktuelle Entwicklungen in der Architektur und den Künsten einer breiten Bevölkerung zu vermitteln; Initiatoren waren Bruno Taut, Walter Gropius, Cesar Klein und Adolf Behne. Das Gründungsmanifest wurde von 31 weiteren Künstlern unterzeichnet.

Diese Lithographie Nagels ist Teil der IAH-Publikation *Krieg*, 1924. Otto Nagel, *Krieg (Brudergrab)*, um 1921, Papier, Lithographie, 185x135 mm
Staatliches Puschkin-Museum für Bildende Künste, Inventarnummer: G-112510

und dient zugleich der Nothilfe-Sammlung zugunsten der Hungernden in Sowjetrussland. Die Ausstellung hat in Deutschland große öffentliche Resonanz.[8] Der Erfolg lässt bei Organisatoren und Gleichgesinnten den Wunsch nach einer deutschen Gegenausstellung in der Russischen Sozialistischen Föderativen Sowjetrepublik (RSFSR) aufkommen.[9] Nach mehreren erfolglosen Anläufen beruft das Zentralkomitee der sowjetischen IAH-Organisation Meschrabpom eine Sonderkommission zur Realisierung des Projekts. Deren Leiter Richard Oehring wirbt in Moskau am 28. Mai 1924 auf einer Sitzung der Allunionsgesellschaft für kulturelle Kontakte mit dem Ausland (WOKS)[10] um Unterstützung für diese Initiative: „Aus Berlin kam der Vorschlag, hier in Moskau eine Ausstellung mit Malerei und Grafik zu organisieren [...] Vorgeschlagen hat dies die Künstlerhilfe der IAH. Die Organisation wäre in der Lage, Originalwerke von George Grosz, Käthe Kollwitz und anderen nach Moskau zu entsenden. Wir hier meinen, solch eine Ausstellung würde auf sehr großes Interesse stoßen und zugleich als hervorragende Propaganda-Plattform der russischen IAH-Abteilung dienen. Die Ausstellung könnte nicht allein in Moskau, sondern auch in anderen Städten der Sowjetunion gezeigt werden."[11]

Am 28. Juni 1924 berät im Moskauer Kreml ein Sonderkomitee für die Organisation von Gastspielen und Kunstausstellungen im Ausland, das einer Kommission zur Unterstützung entsprechender künstlerischer Aktivitäten untersteht, über die Vorbereitung der deutschen Ausstellung.[12] In einer Resolution wird deren Zustandekommen als wünschenswert bezeichnet; die Organisation soll entsprechend der Absprachen zwischen Sonderkomitee und Meschrabpom erfolgen. Auch die Gründung eines Ausstellungsrats mit deren sowie Vertretern des Volkskommissariats für Bildung und des Zentralkomitees der sowjetischen Künstler-Gewerkschaft „Rabis" wird beschlossen.[13] Und weil das Projekt der Berliner Kollegen, worüber Oehring im Kreml berichtet, von der „Künstlerhilfe" initiiert wurde, geht der Auftrag für die Ausstellungsorganisation von deutscher Seite gerade an diese Vereinigung.

Dort bildet sich im Juli 1924 ein vorbereitender Ausschuss, der sogleich Künstler anschreibt und einlädt, sich an dem ambitionierten Vorhaben zu beteiligen. Sie sind gebeten, jeweils drei Bilder „in guten Rahmen" einzureichen oder drei Skulpturen; der Wert der Arbeiten soll in britischen Pfund angeben werden.[14] Die Annahme grafischer Werke und von Architekturmodellen erfolgt nach Absprache mit dem Sekretär des Organisationskomitees, dem Otto Nagel vorsteht. Vom 10. bis zum 20. August werden die Kunstwerke im Berliner IAH-Büro Unter den Linden 11 entgegengenommen.

Laut Absprache dürfen die Organisatoren fünfzehn Prozent vom Verkaufspreis als Kommission einbehalten. Dieser Gewinn soll jeweils zur Hälfte für die Ernährung deutscher Arbeiterkinder und für notleidende deutsche Künstler verwendet werden. Ihrerseits übernehmen die Ausstellungsorganisatoren alle anfallenden Kosten für Verpackung, Versand und Versicherung der Kunstwerke. Zu Verantwortlichen für die Ausstellung in Russland, die über die Gesamtdauer der

7 Die Ausstellung wurde danach in Amsterdam gezeigt. Die geplante Ausstellung in Paris kam nicht zustande.

8 Eva Bérard, The First Exhibition of Russian Art in Berlin: The Transnational Origins of Bolshevik Cultural Diplomacy, 1921–1922, in: B. Martin und E. Peller (Hg.), Contemporary European History. 2021. Vol. 30. Special Issue 2: European Cultural Diplomacy and the Twenty Years' Crisis, 1919–1939, S. 164–180; Helen Adkins, "Nach der Dekadenz-Dämmerung ...". Ausstellungen in Berlin und Moskau zwischen 1922 und 1930, in: Eckhart Gillen und Ulrike Lorenz (Hg.), Konstruktion der Welt 1919–1939. Katalog zur Ausstellung der Kunsthalle Mannheim. Bielefeld 2018, S. 318–322; Natalija Awtonomowa, Die Tür zum Westen, in: *Tretyakov Gallery Magazine* (Sonderausgabe „Deutschland – Russland. Perspektiven auf die Kunst- und Museumsszene"), Nr. 1, 2021 (70), S. 62–93.

9 Am 20.7.1922 war im Volkskommissariat für Bildung (Narkompros) der Beschluss „Über die deutsche Ausstellung in Moskau" verabschiedet worden. Deren Eröffnung sollte im Sommer 1923 stattfinden (vgl. Kul'turnaja žizn' v SSSR [Kulturelles Leben in der UdSSR], 1917–1927: Chronika. T(om) [Band]. 1 Nauka [Wissenschaft]. 1975, S. 353.

Schau die Unversehrtheit der Werke sicherstellen sollen, werden Otto Nagel und Eric Johansson[15] bestimmt. So kommt der dreißigjährige Künstler-Kommunist aus dem Wedding zu seiner ersten Auslandsreise und begibt sich auf den Weg ins Land der siegreichen Oktoberrevolution.

Vorbereitung

Recht bald wird Otto Nagel zu einer Schlüsselfigur der „Künstlerhilfe“. Mit aller Kraft versucht er, die programmatischen Vorhaben des Komitees zu verwirklichen. Im Schulterschluss mit der allgemeinen Kampagne zur Durchsetzung des Achtstundentags in Deutschland bereitet er 1924 federführend die Herausgabe eines Sammelbandes vor. Darin enthalten sind ausgewählte Beiträgen namhafter Autoren sowie Reproduktionen von Kunstwerken, geschaffen im Zeichen der Solidarität mit dem Proletariat.[16] Auf seine Initiative hin werden 1924 ebenfalls die beiden grafischen Mappen *Der Krieg* und *Hunger* gedruckt, deren Erlös der Unterstützung bedürftiger Künstler zugutekommen soll[17]. Daneben gibt die „Künstlerhilfe“ Künstlerpostkarten und Plakate heraus, die sie selbst vertreibt bzw. verteilt. Für diese Kampagne entstehen die berühmten Kollwitz-Blätter *Helft Rußland*! und *Brot!*. In der Hauptsache ist es Nagel, der seine Kolleginnen und Kollegen überredet, eigene Arbeiten bereitzustellen. Doch ist in dem Aufruf der „Künstlerhilfe“ von 1921 nicht bloß von Publikationen die Rede, sondern von einem aktiven Bemühen um Verkaufsausstellungen, um Geld für Bedürftige zu sammeln.

Als erste einer ganzen Reihe derartiger Ausstellungen eröffnet im Februar 1924 die Kunstschau im Warenhaus Wertheim am Potsdamer Platz in Berlin. Otto Nagel bereitet sie vor und richtet sie ein. Dank seiner Bemühungen gelingt es, über fünfhundert Werke zu versammeln.[18] Gerade diese Präsentation wird zum Test für jene

AUSSTELLUNG DER KÜNSTLERHILFE

Die Künstlerhilfe der I.A.H. hat im letzten Monat einen Aufruf an alle Künstler, Maler und Graphiker ergehen lassen, die durch die Spende ihrer Werke die Aktionen der I.A.H. finanziell unterstützen sollten. In zwei Wochen liefen über 500 Werke ein.

Aus der Fülle des Gebotenen, unter dem Arbeiten von Fischer, Garz, Orlik, Sandkuhl, Segall, Völker-Halle, Zille sind, wollen wir heute nur zwei Künstler würdigen, die durch ihre ganze Lebensarbeit und durch die auf dieser Ausstellung gezeigten Bilder dem Proletariat das meiste zu sagen haben:

Otto Nagel und Käthe Kollwitz.

Otto Nagel ist Proletarier. Seine Kunst ist proletarische Kunst, seine Gestalten sind Proletarier. Der Maler ist kein Stehkragenproletarier, er kommt nicht von der Bourgeoisie, er malt nicht in den üblichen Künstlerateliers. — In seiner Proletenbude, die er mit Mutter und Brüdern teilt, hat er seine Arbeitsstaffelei aufgestellt und die Opfer der Fabrik und der Straße malt er in „ihrem Milieu“, das auch das seine ist. Er ist Arbeiter — Metallarbeiter, und wenn man ihn sieht, weiß man, daß er schon öfter den Weg von seiner Arbeitskammer zur Fabrik zurück gegangen ist. Ihm wird die sekundäre Beschäftigung mit Kunst, also Ausstellung, Propaganda und Verkauf seiner Arbeiten peinlich und lästig sein. Der Verkauf der Arbeitskraft ist für den Arbeiter am Schraubstock klarer und reinlicher als für den Arbeiter an der Staffel.

Nagel hat sich entwickelt. — Er malte nicht immer seine Arbeiterbilder, auch er mußte sich durch den „süßen Kitsch“ des heutigen westeuropäischen Durchschnittspinsels durchfressen, auch er hatte zeitweise die Illusion, verrußte Großstadtmenschen durch „Wie sie im Park“ oder „Spaziergänger“ oder ähnliche Gleichgültigkeiten zu einem menschenwürdigeren Dasein zu erziehen. Bis er, unmittelbar und lebendig durch Freundschaft und Umgang ausschließlich mit Arbeitern, diese selbst darzustellen begann. Nicht so, wie sie zum Photographen oder zum Standesbeamten gehen, nachahmend die Verlogenheiten des Bürgers, in Ausdruck, Haltung und Kleidung, sondern wie und was sie sind: dumpfe Tiere, in denen nur Augen brennen. Stumpfe Arbeitstiere, in deren Antlitz noch nicht Empörung steht.

Nagel malt nur Menschen, die sich verkaufen oder verkauft haben oder verkaufen werden. Ob der Preis für den zehnstündigen Arbeitstag 1,50 Rentenmark ist, oder ob der Körper schon für 50 Pfennig feil ist, er bleibt Ware, Sache, für die es einen Preis gibt, der sich am Markte regelt nach Angebot und Nachfrage. Diese Zeit wird gemalt, in der dies möglich ist: Der Arbeiter nach seinem fünfzigjährigen Arbeitsjubiläum mit dem Blumenkorbgeschenk der Direktion — und der dreißigjährige: „Arbeitslos“. — Das Hürchen mit „buntem“ Hut und Mund und die Arbeiterin, ein dreißigjähriges Wrack, erschöpft in zwanzig Arbeitsjahren und zehn Geburten oder Fehlgeburten. In dieser Welt blühen keine Bäume und keine Träume, grau in grau spricht das Bild zu dir, der du es nicht sehen willst und der du es doch nie mehr vergessen kannst. — Der Pinsel scheint vor jedem Strich durch Asche gezogen.

Die Welt Otto Nagels ist eintönig, einfarbig, grau in grau. Und doch ist er ein großer Maler. Er ist nicht nur ein eindeutig klarer und ehrlicher Mensch und Tendenzkünstler (was das mindeste für jeden heute Schaffenden sein muß); er überzeugt nicht nur, er erschüttert (was das höchste für jeden heute Schaffenden sein muß), und er ist der einzige Künstler, der das darstellt, was heute sich darzustellen lohnt, das Leben und die Not der Werktätigen, die auch die Welt von Käthe Kollwitz sind.

Käthe Kollwitz' Kunst ist so groß, weil ihre Menschen die einzigsten sind, die die Künstlerin in der Arche ihrer Kunst durch die Sintflut der Gegenwart trägt. Die Proletarier, die an der Bahre ihres erschlagenen Führers Karl Liebknecht die Totenwacht halten, werden unter seiner Fahne in ihr Land und das Land ihrer Kinder ziehen. Die Mutter der „Überlebenden“ ist die Mutter der Menschheit. Die Kinder, die sie in ihren Armen in einer so keuschen und erschütternden Geste birgt, werden es besser haben als wir, die wir für ihr Glück kämpfen. Und das Bild: „Brot!“ Abgewandt steht die Mutter und ihre Hand hält das bittende Kind von sich ab. — Oder will sie mit ihrer nackten Hand das hungrige Mündchen speisen? Und das andere Bild: Hände halten eine zusammenbrechende Gestalt aufrecht — die leeren Hände, von ihnen geht eine ungeheure Kraft aus, die man spürt, die Kraft, die man in allen ihren Bildern erlebt, vielleicht am stärksten in der Gestalt der trauernden Arbeiterfrau. Ein Monument unserer Zeit.

Blick in die Kunstausstellung

Otto Nagel: Der Jubilar

Käthe Kollwitz: Die Überlebenden

George Grosz: Sonntagsspaziergang

15

Im Zentrum des Berichts über die Wertheim-Ausstellung der Künstlerhilfe des IAH ist das Gemälde von Otto Nagel *Der Jubilar* (1923) abgebildet. Das Werk wurde vom Volkskommissariat für Bildung der RSFSR für das Revolutionsmuseum in Moskau erworben. *Sichel und Hammer. Internationale Arbeiterzeitung*, 3. Jg., Nr. 5, 1924

Ausstellung, die sich in Kürze dem Urteil des sowjetischen Publikums stellen soll.

Als Vorsitzender des Organisationskomitees ist Nagel derjenige, der auch die Moskauer Ausstellung im Wesentlichen zusammenstellt. Dies bezeugen Archivdokumente aus der Vorbereitungsphase, wie

10 Richard Oehring (1891–1940), deutscher politischer Aktivist, Schriftsteller und Wirtschaftswissenschaftler. 1922 geht er in die Sowjetunion. Nach seiner Rückkehr arbeitet er in der Sowjetischen Handelsvertretung in Berlin und beteiligt sich an der IAH. – WOKS bzw. VOKS, d. i. Abk. für Vsesojuznoje Obščestvo Kul´turnych Svjazej s Zagranizej.

11 Gosudarsvennyj archiv Rossijskoj Federacii [Staatliches Archiv der Russischen Förderation] (GARF) Moskau, fond [Bestand] 5283, op(is) [Findbuch]. 11, ed(inica). Chr(anenii) [Archiveinheit].1, l(ist) [Blatt].1.

12 Russ.: Osobyj komitet po organisacii zagraničnych artističeskich turne i chudožestvennych vystavok [Sonderkomitee zur Organisation künstlerischer Tourneen und von Kunstausstellungen im In- und Ausland. – Diesem Komitee gehörten an: A. Lunačarskij, O. Kameneva, N. Trockaja, ein Vertreter der Deutschen Botschaft, D. Šterenberg, V. Favorskij, F. Lecht, Ju. Slavinskij, Ju. Steklov sowie R. Oehring und O. Nagel von Meschrabpom; in: Sovetskoe iskusstvo za 15 let. Materialy i dokumentacija [Sowjetische Kunst der letzten 15 Jahre. Materialien und Dokumentation]. Moskva 1933, S. 242.

Die Erste Allgemeine Deutsche Kunstausstellung in Moskau 1924

Zwei russische und zwei deutsche Mitglieder des Ausstellungskomitees. Im Hintergrund Bilder von Otto Dix

Peri: Entwurf zu einem Lenindenkmal, das zugleich Mausoleum und Rednertribüne ist. Material: Sichel: rotes Glas; Name: Metall; Architektur: Eisenbeton

Otto Dix: Arbeiter

Blick in einen der Ausstellungsräume: Politischer Saal

15

Der Beitrag über die Eröffnung der „Ersten Allgemeinen Deutschen Kunstausstellung" in Moskau enthält eine Fotografie der Mitglieder des Ausstellungskomitees. Otto Nagel vor dem Skandalbild von Otto Dix *Mädchen am Spiegel* (1921), *Sichel und Hammer. Internationale Arbeiterzeitung*, 3. Jg., Nr. 2, 1924

etwa die teilweise erhaltene Korrespondenz mit dem Weimarer Bauhaus. Mit Schreiben vom 15. Juni 1922 an deren Gründungsdirektor, den Architekten Walter Gropius, lädt Nagel die innovative Staatliche Kunstschule offiziell zur Teilnahme ein. Mit einem zusätzlichen Brief an den Bauhausmeister László Moholy-Nagy informiert Nagel den Künstlerkollegen über die Anfrage und bittet darum, eine schnelle Entscheidung herbeizuführen sowie, nach Möglichkeit, bei Gropius eine Zusage zu erwirken.[19] Sicherlich vermutet Nagel, der Bauhaus-Gründungsdirektor könnte dieser Initiative skeptisch gegenüberstehen.[20] Gropius ist gerade verreist, wie der Antwortbrief vom 28. Juni mitteilt; auch erbitten die Bauhaus-Meister darin nähere Auskunft über die Eigenart der geplanten Exposition, um abschließend über die Einladung entscheiden zu können: „Handelt es sich um Gemälde oder sonstige rein künstlerische Gegenstände oder dachten Sie, dass auch Werkstatterzeugnisse gezeigt werden sollen? Den Verhältnissen nach wäre das letztere von unserem Standpunkt aus betrachtet, ziemlich ausgeschlossen, weil wir leider momentan nicht die genügende Anzahl Gegenstände für längere Zeit entbehren können."[21] Die gewünschte Erläuterung geht im August 1922 im Bauhaus ein. Darin führt Otto Nagel näher aus, wie er sich eine Mitwirkung der Weimarer Ausbildungsstätte an diesem Vorhaben vorstellt: „Wir denken uns Ihre Beteiligung folgendermassen: vor allen Dingen sollen sämtliche Meister des Bauhauses durch Gemälde oder andere[m], ihrem künstlerischen Schaffen entsprechenden Werken vertreten sein. Es wäre natürlich sehr gut, wenn auch Werkstatterzeugnisse in Moskau gezeigt werden könnten. Wenn technische Schwierigkeiten, die es nicht ermöglichen liessen, bestehen, so müssen wir uns, so leid es uns tut, damit abfinden. Die Anzahl der Arbeiten, die Sie uns zur Verfügung stellen, bleibt Ihnen überlassen, jedoch schlagen wir vor, dass jeder Meister mit ca. 3–[5] Arbeiten vertreten sein wird. Schülerarbeiten kommen in sehr beschränktem Masse in Frage."[22] Auf dem Schreiben findet sich eine handschriftliche Bemerkung von Gropius: „Im Umlauf bei den Formmeistern. Ich empfehle Vorsicht."[23] Dann jedoch

13 Abk. für russ. Rabotniki iskusstva [Kunstschaffende o. ä.].

14 Erhalten blieb die Auflistung der Künstlerin Hannah Höch. „Anmeldung der in der Ausstellung vertretenen Werke Hannah Höchs: Er und sein Milieux, Aquarell (angegebener Verkaufspreis: 15 engl. Pfund) sowie Die Mücke ist tot, Öl (angegebener Verkaufspreis: 25 engl. Pfund)", in: Archive der Berlinischen Galerie, Nachlass Hannah Höch.

15 Eric Johansson (1896–1979), deutsch-schwedischer Maler, Absolvent der Dresdner Kunstakademie und KPD-Mitglied; seit 1924 Mitglied in der kommunistischen Künstlervereinigung „Rote Gruppe"; siehe auch ders., Die Erste Allgemeine Deutsche Kunstausstellung in Moskau 1924, in: Bildende Kunst, 1/1965, S. 660–662. – Während seines Aufenthalts in Moskau porträtiert Johannsen den Komintern-Delegierten Ho Chi Minh. Aus Dank für deren Unterstützung beim Aufbau der Ausstellung trifft er sich auch mit Studenten der Wchutemas. Siehe hierzu: Nemeckij gost´ [Der deutsche Gast], in: *Vestnik rabotnikov iskusstv* [Der Bote der Kunstschaffenden], Nr. 2 vom 1.2.1925, S. 26.

16 8 Stunden! Stellungnahme führender Künstler zum Achtstundentag. Publikation der Künstlerhilfe. Berlin (Neuer Deutscher Verlag) 1924.

fällt die Entscheidung zugunsten des Vorhabens aus. Die Bauhausmeister entsenden eine große Zahl eigener Werke und Gropius stellt der Ausstellung seinen Entwurf eines Wolkenkratzers für die *Chicago Tribune* (Wettbewerb 1922) zur Verfügung.

Wenn dem Katalog zu glauben ist, nehmen 129 Künstlerinnen und Künstler sowie Architekten aus dreizehn verschiedenen Vereinigungen an der Ausstellung teil.[24] Bisher ist es jedoch nicht gelungen, die exakte Anzahl der Exponate zu ermitteln.[25] Mehr oder weniger vollständig vertreten sind die Künstler der „Novembergruppe"[26] und der „Roten Gruppe". In beiden Bünden hat Nagel Freunde und Gleichgesinnte, die eine dezidiert politische Kunst anstreben, womit sie Kritik sowohl konservativer wie auch eher gemäßigter Künstlerkollegen auf sich ziehen. Die „Rote Gruppe", der Nagel beitritt, gründet sich im Mai 1924 auf Initiative von George Grosz, der dort den Vorsitz innehat; zu deren Sekretär wird John Heartfield bestimmt.[27] Die Teilnahme an der „Ersten Allgemeinen Deutschen Kunstausstellung" in der Sowjetunion ist die Debütausstellung dieser Künstlervereinigung. Da über weitere Ausstellungen oder Vorhaben nichts bekannt ist, dürfte sie speziell für dieses Projekt ins Leben gerufen worden sein, als Beispiel eines revolutionären Bundes deutscher Künstler, die für die gerechte Sache des Proletariats kämpfen.[28]

Otto Nagel wird sozusagen der Chefideologe und Propagandist der „Roten Gruppe". Während seines Aufenthalts in der Sowjetunion als Betreuer der Ausstellung hält er mehrere Vorträge und publiziert Artikel über diese progressive Vereinigung von Künstler-Kommunisten. Sehr oft sieht sich Nagel genötigt, seine Gefährten bei Kritik einfacher Ausstellungsbesucher wie auch gegen Angriffe der sowjetischen Presse zu verteidigen. Wie schon in Deutschland rufen Arbeiten von Otto Dix und George Grosz die allergrößte Empörung hervor. Die Künstler entsenden die umstrittensten Werke, die im eigenen Land weder ausgestellt noch verbreitet werden dürfen, in die Sowjetunion. Dies betrifft insbesondere das Dix-Gemälde *Mädchen vor dem Spiegel* (1921), das im Vorjahr als „unzüchtig" beschlagnahmt wurde und dem Künstler einen Prozess am Berliner Landgericht eingetragen hat.[29] Der berühmte Grafikzyklus *Krieg*, den Otto Dix 1924 abschließt, wird nun ebenfalls in der Sowjetunion gezeigt.

Der Katalog zur Ausstellung in Moskau und Leningrad ist eine wertvolle Quelle, doch dokumentiert er nicht alles, was in der Überblicksschau zu sehen ist. Auffällige Lücken gibt es im Bereich der Grafik, wo oft Titel und nähere Angaben zur Anzahl der ausgestellten Werke fehlen; ganze Grafikzyklen blieben unerwähnt. So etwa bei George Grosz, in der Sowjetunion einer der bekanntesten deutschen Künstler.[30] Offenkundig fehlen in der Werkliste des Katalogs mehrere von Grosz eingereichte Arbeiten. Es handelt sich um Blätter, die der Provenienz zufolge aus der Kunstausstellung in die Sammlung des Museums der Revolution gelangt sind. Dazu zählen mehrere Lithografien aus den Zyklen *Gott mit uns* (1919) und *Ecce Homo* (1923).[31]

Wie die Ausstellung ausgesehen hat, geht aus einer Vielzahl von Abbildungen in der sowjetischen Presse hervor; einige der Werke sind im Katalog abgebildet. So auch eine Lithografie von Grosz, die vermutlich zu jenen Blättern der Folge *Ecco Homo* gehört, die wegen der gerichtlichen Sanktionen aus der Mappe entfernt wurden. Bemerkenswerterweise ist auf derselben Katalogseite das skandalträchtige *Mädchen vor dem Spiegel* von Dix abgebildet. Was dachten sich die Veranstalter dabei? Glaubten sie, das russische Publikum mit Abbildungen dieser in Deutschland verbotenen Werke anlocken und gewinnen zu können?

Die Auswahl der Exponate für die Ausstellung in Sowjetrussland ist damals nicht unumstritten, wie der publizistische Schlagabtausch in der *Weltbühne* beweist. Im September 1924 merkt Adolf

17 Krieg. 7 Originallithografien. Gesamterlös für die Künstlerhilfe und die Kinderheime der I.A.H., Hg. von der Künstlerhilfe. Otto Dix, Georg Grosz, Otto Nagel, Käthe Kollwitz, Willibald Krain, Rudolf Schlichter, Heinrich Zille. Zum 10. Jahrestage des Kriegsbeginnes. Berlin (Neuer Deutscher Verlag) 1924. – Im gleichen Verlag erscheint zeitgleich die Mappe Hunger. 7 Originallithografien. Gesamterlös für die Hungerhilfe. Künstlerhilfe Otto Dix, George Grosz, Eric Johansson, Käthe Kollwitz, Otto Nagel, Karl Völker, Heinrich Zille für die Internationale Arbeiterhilfe, Berlin 1924. – Es gab zwei Editionen: eine Ausgabe von signierten Originallithografien in limitierter Auflage sowie, gedruckt im kleineren Format, eine preiswerte Offset-Version für ein breiteres Publikum.

18 Die Künstlerhilfe mietet von da an für derlei Vorhaben wiederholt Räume in Handelseinrichtungen oder in Lokalen.

19 Schreiben vom 15.7.1924 mit Briefkopf der „IAH-Künstlerhilfe". Einer Randbemerkung des Empfängers zufolge hat dieser den Brief an Bauhaus-Meister Georg Muche weitergereicht. (Landesarchiv Thüringen – Hauptstaatsarchiv Weimar, Staatliches Bauhaus Weimar, Nr. 55. Einladungen an das Bauhaus zur Durchführung von Ausstellungen oder zur Beteiligung an solchen, B. 58).

Behne zur bevorstehenden Ausstellung in Moskau an: „Bei uns ist es eine proletarische, von der Behörde mit Mißtrauen betrachtete Organisation, die die Ausstellung durchführt. Kein Bild eines Museums, kein Bild der großen Privatsammlungen wird sie erhalten. Sie kann nur zeigen, was die Künstler aus ihren Ateliers geben."[32] Wie Behne einräumt, erlaubt ein solches Herangehen zweifellos nicht, die gesamte Breite und Vielfalt deutscher Gegenwartskunst zu zeigen. Dennoch findet er bedeutsam, dass die Auswahl „von dieser proletarischen Organisation gemacht wird mit einer vollkommenen Vorurteilslosigkeit, mit keinem andern Ehrgeiz, als alles Beste zu zeigen, ohne Respekt vor Namen, ohne Koketterie mit Mode-Größen, aber mit Respekt vor jeder Leistung und mit Freude am Neuen und Kühnen – kurz: so gesund und gut in der Arbeit, wie es die ‚berufenen' Stellen nicht sind".[33]

Kurz vor der Ausstellungseröffnung in Moskau übt Paul Ferdinand Schmid in der *Weltbühne* scharfe Kritik an der Organisationstätigkeit der „Künstlerhilfe". Er hält den Ausstellungsmachern Dilettantismus vor: „Etwas Schlimmeres hätte der deutschen Kunst nicht passieren können als diese Ausstellung der ‚Künstlerhilfe' für Rußland [...] Nein, das ist ganz und gar keine Ausstellung deutscher Kunst für das Ausland; auch nicht für das bolschewistische Rußland, wo man sehr genau den Unterschied von Meisterschaft und Pofel kennt."[34]

Gewisse Sorgen über die Reaktionen sowjetischer Besucher auf die deutsche Ausstellung machen sich auch die Genossen der IAH.[35] Am 20. September 1924 wendet sich die Leitung von Meschrabpom mit einem Schreiben an sowjetische Künstler, das die wichtigsten Tätigkeitsfelder der Hilfsorganisation, besonders aber deren künstlerische Aktivitäten vorstellt; verwiesen wird etwa auf unterstützende Aktionen im Kampf um den Achtstundentag und die hierzu erschienene Grafikmappe. Die Erklärung macht die sowjetischen Künstler mit ihren deutschen Kampfgenossen in der „Roten Gruppe" bekannt: „Vor einem Hintergrund ‚apolitischer' Kunst tritt, in geschlossener Formation, die sogenannte ‚Rote Gruppe' hervor, jene ablehnend und den neuen, proletarischen Inhalt bekräftigend, suchend nach eine neuen, dem Proletariat nahen künstlerischen Form. Sie bildet eine Art Zelle innerhalb der ‚Künstlerhilfe'".[36]

Die besten Erläuterungen können freilich die Ausstellungsmacher persönlich geben, zumal jene, die unmittelbar im Austausch mit den Künstlern stehen und die Werke selbst ausgesucht haben. Genau aus diesem Grund wird Otto Nagel in die Sowjetunion delegiert. Die erste Mitteilung mit einer Ankündigung der bevorstehenden Ausstellung, erschienen im September 1924, informiert über seine und die Ankunft von Eric Johansson in Leningrad. Die beiden Künstler-Kommunisten leiten die organisatorische Vorbereitung „der ersten ausländischen Kunstausstellung in der Sowjetunion", deren Programm wie folgt angekündigt wird: „Auf der Ausstellung werden unterschiedliche Richtungen der Kunst des Auslands aus den letzten Jahren vorgestellt werden."[37]

Moskau 1924 – Altes stirbt, etwas Neues wird geboren

Die Fahrt in die Sowjetunion ist Otto Nagels erste Auslandsreise. Mit der neuen Aufgabe kommt es zu einer folgenreichen Wende in seinem Leben. Aus dem wegen seiner politischen Aktivitäten entlassenen kommunistischen Arbeiter, der den Weg eines revolutionären Künstlers eingeschlagen hat, sollte binnen kurzem einer der führenden Funktionäre fortschrittlicher proletarischer Künstlervereinigungen werden, ein Ausstellungsmacher und schließlich Botschafter deutscher Kunst im Ausland.

Was er in Russland sieht und erlebt, hinterlässt bei ihm einen unauslöschlichen Eindruck. In seinen Erinnerungen schildert Otto Nagel

20 Der Berliner Architekt Walter Gropius (1883–1969), 1919 zum Direktor des Staatlichen Bauhauses in Weimar im Freistaat Thüringen berufen, tritt 1921 aus dem linksrevolutionären „Arbeitsrat für Kunst" aus, in dem er sich während der Novemberrevolution 1918 engagiert hat.

21 LA Thüringen – HStA Weimar, Staatl. Bauhaus Weimar, Nr. 55. Einladungen an Bauhaus (s. o.), B. 59.

22 Ebd., B. 60. Schreiben mit Briefkopf des Organisationskomitees der Ausstellung. – In der Sowjetunion ausgestellt werden Werke von W. Gropius, W. Baumeister, O. Fischer, P. Klee, L. Moholy-Nagy, K. P. Röhl und O. Schlemmer.

23 Der Autor dankt dem Übersetzer für seine Hilfe bei der Entzifferung des Briefes und wertvolle Hinweise.

24 Pervaja Vseobščaja Germanskaja chudožestvennaja vystavka [Erste Allgemeine Deutsche Kunstausstellung]. Moskva, Leningrad 1924. – Die „Novembergruppe" und die „Rote Gruppe" sind mit jeweils 22 Künstlern (z. T. Doppelmitgliedschaften) vertreten. Die Teilnehmerliste wird von Berliner Künstlern und Architekten dominiert (ebd., S. 23–36). Weitere Gruppen: „Sezession", Galerie „Der Sturm", „Ohne Jury", „Berliner Künstlerbund", „Bund Deutscher Architekten", „Dresdner Künstlerbund", Akademie (d. i. Preußische Akademie der

später, wie das Volk in Scharen auf den Roten Platz strömte, um Lenin, dem Führer der Weltrevolution, dessen Leichnam nach der Einbalsamierung in einem eigens errichteten Mausoleum augebahrt worden war, die letzte Ehre zu erweisen.[38] Lenins Tod am 24. Januar 1924 ist tatsächlich eine Erschütterung für die junge sowjetische Republik. Im Sommer 1924 tagt in Moskau dann der V. Weltkongress der Kommunistischen Internationale (Komintern); Thema sind die tragischen Ereignisse in Verbindung mit den gescheiterten revolutionären Erhebungen in Deutschland und Bulgarien und, natürlich, der Tod Lenins.

Ungeachtet dieses „unwiederbringlichen Verlustes" kann dieses Jahr zu Recht als schicksalhaft für die sowjetische Kunst gelten. Zwei Jahre nach Ende des Bürgerkriegs sucht die sowjetische Kunst 1924 hektisch nach neuen Wegen; alle Hoffnungen der Kulturschaffenden sind auf die Zukunft gerichtet. Es ist das Jahr, in dem die Sowjetunion erstmals an der internationalen Biennale in Venedig teilnimmt. Im Russischen Pavillon in den Giardini werden die Errungenschaften sowjetischer Kunst seit 1917 präsentiert.[39] Im gleichen Jahr wird, auf Initiative verschiedener Künstler und künstlerischer Vereinigungen, eine Verkaufsausstellung zeitgenössischer russischer Kunst für die USA vorbereitet, die auf Tournee durch mehrere Städte geht.[40] In der Sowjetunion selbst werden gleichzeitig hitzige Debatten über den weiteren Kurs der sowjetischen Kunst geführt. Daraus geht die „*Erste Diskussions-Ausstellung der Vereinigung aktiver revolutionärer Kunst*" in Moskau hervor, auf der progressive Ideen junger Künstler vorgestellt werden. Die Kinopremiere von Dsiga Wertows *Kinoglas* (dt.: Kino-Auge) verhilft 1924 dem avantgardistischen sowjetischen Film zum Durchbruch. In der sowjetischen Kunstkritik kommt im gleichen Jahr, im Verlauf heftiger Auseinandersetzungen über die Festlegung der weiteren Entwicklung sowjetischer Kunst, erstmals der Begriff Formalismus auf. Zum wichtigsten Kulturereignis in der sowjetischen Hauptstadt gerät 1924 jedoch die Eröffnung der „Ersten Allgemeinen Deutschen Kunstausstellung".[41]

Da dieses internationale Projekt für die sowjetischen Machthaber hohe Priorität hat, wird über die wichtigsten sowjetischen Zeitungen und Zeitschriften eine Informationskampagne zu dessen Unterstützung lanciert. Im Vorfeld der Eröffnung weist etwa die *Izwestija* auf die Transformation der IAH (russ.: Meschrabpom) von ihrer ursprünglich „reinen Ernährungsfunktion" zu einem „kulturellen Faktor" hin. Besondere Aufmerksamkeit wird hierbei der proletarischen Abteilung der Schau gewidmet, repräsentiert durch „deutsche Kunstströmungen, geboren in einer Atmosphäre von ‚Sturm und Drang'". Abschließend heißt es, auf Einladung französischer Genossen werde die deutsche Ausstellung anschließend nach Paris weiterziehen.[42]

Am 18. Oktober kommt es im Staatlichen Historischen Museum am Roten Platz in Moskau, unweit des Kremls, zur langerwarteten Eröffnung der Ausstellung. Im Lesesaal der Bibliothek des Museums findet die Festveranstaltung unter Beteiligung der wissenschaftlichen und künstlerischen Vereinigungen Moskaus statt. „Die Zusammenkunft eröffnete Genosse Oehring, Mitglied der Führung von ‚Meschrabpom'. In seinem Grußwort nahm Genosse A. W. Lunatscharski eine allgemeine Einschätzung der Werke deutscher Künstler für die letzten Jahre vor. [...] Wie Genosse Nagel, Mitglied der Delegation deutscher Künstler, erklärte, will diese Ausstellung nicht nur eine Leistungsschau deutscher Künstler im Bereich der Malerei sein. Sie verfolge auch das Ziel, den Kontakt mit der Sowjetunion für den gemeinsamen Kampf um die Ideale der Arbeiterklasse zu festigen."[43]

Bei aller Feierlichkeit dieser Veranstaltung fallen jedoch schon in der Begrüßungsrede des Volkskommissars für Bildung Lunatscharski gewisse Untertöne auf, die auf Sorgen vor möglichen negativen Re-

Künste, Berlin), „Dresdner Sezession", „Bund der Arbeiter-Künstler", Bauhaus Weimar, „Dresdner Künstlergemeinschaft".

25 Verschiedene Quellen gehen von 400–600 Werken aus, die in die Sowjetunion gelangt sind.

26 Gegründet 1918. Erste Gespräche über eine Ausstellung dieser Gruppe in Sowjetrussland finden bereits Anfang der 1920er Jahre statt. Ein zweiter Versuch wird Anfang der 1930er Jahre unternommen, ebenfalls ohne Ergebnis. Siehe hierzu: L.S. Alešina, N. V. Javorskaja (Hg.), Internacional'nye svjazi v oblasti izobrazitel'nogo iskusstva [Internationale Kontakte im Bereich der Bildenden Kunst]. 1917–1940: Materialy i dokumenty [Materialien und Dokumente]. Moskva 1987, S. 103f.

27 Weitere Mitglieder der „Roten Gruppe" sind Otto Dix, Rudolf Schlichter, Eric Johansson, Otto Griebel, Wilhelm Lachnit, Wilhelm Rudolph, Eugen Hoffmann und Karl Völker. – Das Programm der Gruppe wird im KPD-Zentralorgan „Die Rote Fahne" vom 13.7.1924 veröffentlicht. 1927 löst sich die Gruppe auf.

28 Die Gründung der „Roten Gruppe" erfolgt im Mai 1924. Gegen Monatsende unterbreitet die IAH-Künstlerhilfe sowjetischen Partnern ihren Ausstellungsvorschlag.

aktion von Seiten des Publikums hindeuten. Lunatscharski gibt sich als Fürsprecher des deutschen Künstlers, welcher „auf seinem Weg zur Anerkennung der Revolution, zur Schaffung einer revolutionären Kunst, nahezu allen unseren Künstlern voraus ist". Charakteristische Besonderheiten in der Kunst eines deutschen Malers erklärt der Narkompros wie folgt: „[D]er deutsche Künstler ist vor allem Propagandist. Darin erweist er sich weder trocken noch didaktisch, nicht prosaisch-utilitaristisch. Im Gegenteil, er ist ganz von Zorn erfüllt, leidend und voller Hoffnung."[44]

Lunatscharskis Befürchtungen sind berechtigt. Bei Weitem nicht alle sowjetischen Künstler wollen von den Deutschen lernen. In einem Brief an seine Frau Wera Chlebnikowa schildert der Grafiker Pjotr Mituritsch seine Eindrücke beim Rundgang nach der Eröffnung: „Vor kurzem war ich auf der deutschen Ausstellung. Lunatscharski und Schterenberg haben sie feierlich eröffnet. Sie verbiegen sich in jeder Art und Weise, doch gibt es wenig oder gar keine wirkliche Malerei. Es hat eher agitatorischen Charakter, offensichtlich sind diese Künstler von Politikern ermuntert worden. Recht viel Langeweile und schlechte Farben. Viel ungegenständlich-räumliche Malerei."[45]

Eine Ablehnung der Ausstellung ergibt sich nicht zuletzt aus einer mangelhaften Vertrautheit russischer Betrachter mit deutscher Kunst. Die Moskauer Öffentlichkeit, geschult an herausragenden Beispielen der französischen Schule in den ehemaligen Privatsammlungen von Sergei Schtschukin und Iwan Morozow, besitzt nicht das nötige Verständnis für die künstlerischen Experimente der Deutschen.

Mit Ausbruch des Ersten Weltkrieges sind alle internationalen künstlerischen Kontakte, die sich in Russland zu Beginn des 20. Jahrhunderts intensiv und rasch entfaltet hatten, abgebrochen. Der Krieg brachte eine Abgrenzung von allem Deutschen mit sich, die Deutschen wurden zum Feindbild. Die nachfolgenden Ereignisse, Februar- und Oktoberrevolution 1917 sowie der jahrelange Bürgerkrieg in Russland, erlaubten keine Fortsetzung des kulturellen Austauschs mit anderen Ländern. Alles änderte sich 1922 mit dem Ende des Bürgerkriegs, in dem die Bolschewiki den Sieg errangen. Die RSFSR und die Weimarer Republik vereinbarten mit dem Vertrag von Rapallo die Wiederaufnahme diplomatischer Beziehungen und legten damit alle umstrittenen Fragen bei. Damit erkannte Deutschland als eines der ersten Länder die Sowjetmacht an.

Gerade der Kultur, aber wohl besonders den politisch engagierten Kulturschaffenden wird die Mission zuteil, die Anstrengungen gegen den gemeinsamen Feind in Gestalt des weltweiten Kapitals zu vereinen. Nach den Worten des sowjetischen Kritikers Jakow Tugendchold schlage die deutsche Ausstellung „einen breiten Spalt in die Wand, die uns vom Westen trennte". Aber die Kunst der „niedergeschlagenen roten deutschen Gesellschaftlichkeit" gebe der Revolution Ausdruck, die eine Folge des Krieges sei. Die Novemberrevolution habe „junge Künstler aufgeweckt, sich für das deutsche Proletariat zu interessieren". Daraufhin habe sich die deutsche Kunst, im Unterschied zu den Siegermächten, der Gegenwart zugewandt. Tugendchold würdigt auch die Verdienste des „energischen Organisators" Otto Nagel und wendet sich besonders der politischen Abteilung und dort vorgestellten Arbeiten der „Roten Gruppe" und aus dem Weimarer Bauhaus zu. Letzteres vermittelt ihm den Eindruck von „Gründung und offensichtlicher Kraft". Gleichwohl muss der Rezensent einräumen, die Ausstellung hinterlasse „einen deprimierenden Eindruck, einen Eindruck von Angst und Schrecken, Hysterie, heftigem Fieberwahn", was die Aufnahme erschwere, da „der neue Betrachter noch nicht gefestigt" sei.[46]

29 Max Osborn schreibt in der *Vossischen Zeitung* am 31.10.1922 dazu: „Der Maler Dix ist ein grimmiger Spötter, der mit einem Fanatismus des Hohns die Eitelkeit der Welt, der Zeit und der Menschen zu geißeln liebt. Sein Mägdlein vor dem Spiegel ist nichts weniger als eine rosige Oblatenschönheit, sondern eine verruchte, alte Vettel, die vor dem Spiegel Toilette macht [...] hat jemand wieder die Häßlichkeit des Objekts mit künstlerischer Unschönheit verwechselt. Aber müssen Landgericht und Staatsanwalt so kunstfremden Regungen nachgeben?" – Zitiert nach: Wolfgang Hütt (Hg.), Hintergrund. Mit den Unzüchtigkeits- und Gotteslästerungsparagrafen des Strafgesetzbuches gegen Kunst und Künstler 1900–1933. Berlin 1990; S. 202. – Dix wird schließlich – mithilfe der Sachverständigen Maler Max Slevogt und Karl Hofer – am 26. 6.1923 freigesprochen. Der Angeklagte bestritt, dass sein Bild „eine unzüchtige Darstellung" sei. Max Osborn berichtet darüber in der *Vossischen Zeitung* vom 4.7.1923.

30 Grosz verbringt 1922 dreieinhalb Monate auf Einladung der Sowjetregierung in Russland. Neue Erkenntnisse zu dieser kaum beachteten Künstlerreise verspricht eine thematische Ausstellung in Berlin, die im November 2022 im „Kleinen Grosz-Museum" eröffnet. Zur Ausstellung erscheint ein Katalog mit mehreren Essays.

Wie sich zeigt, sind professionelle Betrachter und Laien auf die neue deutsche Kunst nicht vorbereitet. Kritisiert wird vor allem das in ihren Augen schwache künstlerische Niveau der Arbeiten; darüber schreiben Kunstkritiker, deren Sympathie der raffinierten französischen Malereischule gilt. Dazu die Vielzahl der Arbeiten, die den Sittenverfall in der Weimarer Republik bloßlegt, die Darstellung von Prostituierten und Bordellszenen. Die Ausstellung und mit ihr die gesamte deutsche Kunst werden einer übermäßigen Erotisierung bis hin zur Pornografie, des Mystizismus und schließlich des Nihilismus bezichtigt. All diese Defizite kommen in der sowjetischen Presse ausführlich zur Sprache.[47]

Ausführlich zitiert sei hierzu aus einer Besprechung von Aleksei Fedorow-Dawydow für die Zeitschrift *Presse und Revolution*. Der sowjetische Kritiker schildert darin seine Empfindungen nach dem Ausstellungsbesuch: „Du trittst erschüttert aus dieser Ausstellung und denkst unwillkürlich: wie stark muss die Unterdrückung sein, innerlich und von außen, wie zerrüttet die gesellschaftliche Psyche, wie fürchterlich die sozialen Bedingungen, wenn sogar die Künstler-Kommunisten der ‚Roten Gruppe' und Novembergruppe – klassenmäßig, ihrem Wesen nach Proletarier – sich mit ihrem Schaffen für uns lediglich als vollkommene Nihilisten erweisen, deren allgemeine Ablehnung durchdrungen ist von Alpträumen, Mystik, hoffnungslosem Schrecken und sadistischen Perversionen, fast einer Manie des über alle Maßen gequälten, in die Sackgasse getriebenen Vertreters der gebildeten Klasse (russ.: *intelligent*), der unter seinen zitternden Beinen keinerlei festen Grund mehr spürt. Klar, das alles ist nichts für uns."[48]

Von Anfang an bemühen sich sowjetische Experten um eine gerechte Bewertung der bei der Ausstellung gezeigten Werke. Am Tag nach der Eröffnung legen führende Vertreter der sowjetischen Kunstwissenschaft ihre Ansichten darüber auf einer Tagung der Staatlichen Akademie für Kunstwissenschaften (GAChN)[49] dar. Ihre Fragen beantwortet Otto Nagel, der selbst ein kurzes Plädoyer zur Verteidigung seiner deutschen Kollegen vorträgt.[50] Vier Tage später findet in der GAChN eine weitere Besprechung statt, nun über die Bedeutung der deutschen Ausstellung für die sowjetische Kunst.[51] In der Diskussion wird starke Kritik an der außerordentlichen Tendenzhaftigkeit und Geringschätzung der künstlerischen Form bei deutschen Künstlern geäußert. Der Hauptvorwurf richtet sich jedoch auf den in deren Werken vorherrschenden extremen Pessimismus und die Enttäuschung, ihre Weigerung, ein positives Bild der Zukunft zu vermitteln. Die sowjetischen Kritiker werfen den Deutschen vor, sie weideten sich an der Auflösung und am Niedergang der bürgerlichen Gesellschaft, anstatt das Proletariat zum Kampf anzustiften. Ihre Hoffnung auf Überwindung dieser Krise deutscher Kunst verbindet sich namentlich mit der „Roten Gruppe".

In der ersten Ausgabe des GAChN-Bulletins von 1925 publiziert Aleksei Sidorow, ein Teilnehmer an den Debatten, seinen ausführlichen Beitrag über „Bildende Kunst der Jahre 1924 und 1925: Sowjetunion und Deutschland". Der Autor zieht ein erstes Fazit der zu Ende gegangenen Ausstellung. Dabei erinnert er an die Verdienste eines deutschen Kollegen: „Genosse Otto Nagel, einer jener Aktivisten der parteinahen ‚Roten Gruppe', dem wir das Zustandekommen dieser Ausstellung mehr als anderen verdanken, bekannte sich in seinem Vortrag, vorgetragen beim Abendempfang zur Eröffnung der Ausstellung [...], ganz offen zur ablehnenden Einstellung der ihm Gleichgesinnten zum zeitgenössischen Aufbauwerk in Deutschland. ‚Denn im zeitgenössischen Deutschland muss nicht gebaut, sondern zerstört werden.'"[52]

Ungeachtet der widersprüchlichen Einstellung zur Ausstellung werden in Moskau über die gesamte Ausstellungsdauer mehr als 40.000 Besucherinnen und Besucher gezählt – zweifellos eine enor-

31 Am 20.4.1921 werden Grosz und sein Verleger Wieland Herzfelde (Malik-Verlag) wegen „Beleidigung der Reichswehr" durch Veröffentlichung der politischen Mappe Gott mit uns angeklagt. Der Staatsanwalt beantragt je sechs Wochen Gefängnis, das Gericht erkennt auf Geldstrafe und Vernichtung zweier Zeichnungen. (*Der Gegner*, Jg. 1, Nr. 7 vom 20.4.1921, S. 271.) – Nach Erscheinen des Sammelwerks *Ecce Homo* wird gegen Grosz und die Herausgeber ein Prozess wegen „Verbreitung unzüchtiger Schriften" geführt. Dies hat zur Folge, dass mehrere Blätter entfernt werden mussten und die Mappen anstatt 84 nur noch 66 Grafiken in Schwarz-Weiß und statt 16 lediglich elf Farbdrucke enthielten.

32 Adolf Behne, Deutsche Kunst in Moskau, in: *Die Weltbühne – der Schaubühne. Wochenschrift für Politik, Kunst, Wirtschaft*, Hg. von Siegfried Jacobsohn. 20. Jg., Nr. 39 vom 25.9.1924, S. 481f.

33 Ebd.

34 Paul F. Schmidt, Deutsche Kunst und Künstlerhilfe, in: ebd., 20. Jg., Nr. 42 vom 16.10.1924, S. 598.

35 In der Regierungszeitung Izwestija Nr. 129 vom 8.7.1924 kündigt Meschrapom an, eine Serie von Monografien zu revolutionären Künstlern der Gegenwart herauszubringen. Genannt werden Grosz, Dix, Zille, Nagel und Kollwitz. Er-

me Zahl. Hierzu trägt bei, dass auf der Ausstellung erstmals die innovative Methode von Gruppenexkursionen für gewerkschaftliche Organisationen erprobt wird: Betriebe, wissenschaftliche, staatliche und militärische Einrichtungen besuchen die Ausstellung in Gruppen, im Kollektiv. In der Ausstellung selbst arbeiten Spezialkräfte, die Sinn und Bedeutung der Werke erläutern.[53]

Am 29. Oktober 1924 reist Otto Nagel an die Newa, um die Übernahme der Ausstellung vorzubereiten. Doch kurzerhand ändert die sowjetische Seite die Pläne des Vorbereitungskomitees: Anstatt nach Leningrad zu gehen wird die Schau nach Saratow umgeleitet.[54]

Nagel in Saratow – Die Ausstellung als Spiegel des zeitgenössischen Deutschland

Am 4. Dezember 1924 vermeldet die *Izwestija* die Ergebnisse der Allgemeinen Deutschen Kunstausstellung in Moskau. Erwähnt wird auch der Ankauf von rund sechzig Arbeiten, Gemälden und Skulpturen durch das Volkskommissariat für Bildung und das Revolutionsmuseum in Moskau. Dazu zählen Werke von Grosz, Dix, Schlichter, Kollwitz, Johansson, Nagel, Garbe und anderen. Mit den anderen Exponaten seien diese Arbeiten unterwegs von Moskau nach Saratow; Leningrad wird als letzte Station der deutschen Kunstschau in der Sowjetunion genannt.[55]

Der Entschluss, die Schau nach Saratow umzuleiten, geht direkt von Lunatscharski aus. Der Grund dafür: Im Gebiet an der mittleren Wolga, der von der Hungersnot zu Beginn der 1920er Jahre am stärksten betroffenen Region, wird 1924 die autonome Wolgadeutsche Republik ausgerufen. Die Wolgadeutschen – eine nunmehr autonome Minderheit innerhalb der RSFSR, deren Volkskommissar für Bildung Lunatscharski ist – sollen das Kunstschaffen des neuen Deutschlands kennenlernen.

Wie in Moskau bildet sich vor Ort ein Organisationskomitee, das in engem Kontakt mit Moskau und persönlich zu Lunatscharski steht. Otto Nagel wird nach Saratow geschickt, um dort den Aufbau der Ausstellung zu überwachen und sich um die Öffentlichkeitsarbeit zu kümmern. Sein Auftrag ist es, das lokale Publikum mit den – teils umstrittenen – Eigenarten der ausgestellten deutschen Kunst vertraut zu machen.

Am 24. Dezember 1924 vermittelt die *Izwestija Saratowskogo Sowjeta*, Zentralorgan der Gebietsverwaltung im Verwaltungsbezirk Saratow, etwas von der Bedeutung des bevorstehenden Ereignisses. Ein Schreiben von Lunatscharski wird erwähnt, der um Unterstützung bei der Organisation der Ausstellung deutscher Künstler[56] bittet, die in Moskau „aufgrund des großen Besucherandrangs" um eine Woche verlängert werden musste. Die Zeitung meldet die Gründung eines Organisationskomitees unter dem Leiter der Gebietsverwaltung Lew Ganschinski, dem Otto Nagel als „Bevollmächtigter der Gruppe der deutschen Künstler" angehört. Zuerst verabschiedet das Ausstellungskomitee in Saratow offenkundig eine Zugangsbeschränkung für Kinder und Jugendliche: „[N]ach einem Meinungsaustausch wurde beschlossen, Schulkinder nur in geführten Exkursionen in Begleitung der Lehrer Zutritt zu gewähren." Eine weitere Regelung erleichtert den Zugang für Erwachsene: „Um bestmögliche Voraussetzungen dafür zu schaffen, dass Werktätige die Ausstellung in großer Zahl besuchen, hat die für die Organisation zuständige Kommission einen niedrigen Eintrittspreis festgelegt."

Wie in Moskau wird die deutsche Ausstellung von der lokalen Presse intensiv begleitet. Im Unterschied zur Hauptstadt erscheinen solche Beiträge nur in einem einzigen Blatt: der erwähnten *Izwestija* des Saratower Sowjets. Vom Aufbau bis ans Ende der Schau werden etwa zwanzig Artikel, Kurzinformationen und Bekanntmachungen

schienen ist lediglich die russische Ausgabe des Grosz-Bandes *Das Gesicht der herrschenden Klasse* (1921) unter dem abweichenden Titel *Lico kapitala* [Das Gesicht des Kapitals] (Moskva 1924).

36 Alešina, Javorskaja (Hg.), siehe Anm. 26, S. 105.

37 „Innostrannaja chudožestvennaja vystavka v SSSR" [Eine ausländische Kunstausstellung in der UdSSR], in: *Izvestija* Nr. 212 vom 17.9.1924, S. 8. – Die Künstler erreichten Leningrad auf dem Seeweg von Stettin und reisten dann nach Moskau.

38 Vgl. Otto Nagel, Leben und Werk. Berlin 1952, S. 31.

39 Die Leitung des russischen Organisationskomitees lehnte es ab, ein suprematistisches Triptychon auszustellen, das Malewitsch und Schüler für diese Ausstellung angefertigt hatten.

40 In einigen Pressebeiträgen findet sich die Information, Ausstellungen mit deutscher proletarischer Kunst seien – vor der Sowjetunion-Tournee – in zehn amerikanischen Städten gezeigt worden; z. B. in: *Izvestija Saratovskogo Soveta* vom 21.12.1924. S. 2 (vgl. Anm. 1).

41 Wie die Nummerierung vermuten lässt, sollten weitere deutsche Ausstellungen folgen.

Ansicht der Ausstellung in Saratow, 1924/25, Ausstellungsteil im 2. Obergeschoss, Abteilung für „Abstrakten Expressionismus",
u. a. mit Werken von Hans Arp (374), Rudolf Belling, Hans Brass, (370), Johannes Itten (373), Oskar Fischer (361, 365 , 371), P. Klee (367),
Moriz Melzer (364), Arthur Segal (342, 366, 368), Oskar Schlemmer (372) u. s. w.
Fotografie: A. W. und W. W. Leontjew, Archiv des Radischtschew-Kunstmuseums, Saratow

42 Ja[kov] Tugendchol'd, K predstojaščej vystavke germanskogo iskusstva v Moskve [Zur bevorstehenden Ausstellung deutscher Kunst in Moskau], in: *Izvestija*, Nr. 237 vom 16.10.1924, S. 8.

43 Otkrytie pervoj vseobščej vystavki germanskogo iskusstva [Eröffnung der Ersten Allg. Dt. Kunstausstellung], in: *Pravda*, Nr. 239 vom 19.10.1924, S. 4.

44 Lunatscharskis Eröffnungsrede erscheint in überarbeiteter Form in: A. V. Lunačarskij, Germanskaja chudožestvennaja vystavka [Die Dt. Kunstausstellung], in: *Prožektor* [Scheinwerfer], Nr. 20 vom 31.10.1924, S. 22–26; vgl. Anatoli Lunatscharski: Die Revolution und die Kunst. Dresden 1974.

45 Pjotr Miturič, Pis'mo [Brief an] V.V. Chlebnikovoj. 19 oktjabrja 1924g., in: P. V. Miturič: Zapiski surovogo realista epochi avangarda: Dnevniki, pis'ma, vospominanija, stat'i [Aufzeichnungen eines strengen Realisten im Zeitalter der Avantgarde: Tagebücher, Briefe, Erinnerungen, Aufsätze]. Moskva 1997. – Pjotr V. Mituritsch (1887–1956), russisch-sowjetischer Grafiker und Maler.

46 Ja. Tugendchol'd, Iskusstvo sovremennoj Germanii [Kunst des zeitgenössischen Deutschlands], in: *Izvestija*, Nr. 252 vom 2.11.1924, S. 7.

47 Berichte in der deutschen Presse u.a.: Die deutsche Kunstaustellung in Moskau, in: Die Rote Fahne vom 2.12.1924, S. 2; Die erste Allgemeine deutsche

publiziert. Sie beleuchten verschiedene Aspekte des politischen und künstlerischen Lebens in Deutschland, sofern diese Niederschlag in den Werken deutscher Künstler finden. Zwischen Ende Januar und Mitte Februar 1925 werden sieben Zeichnungen von Otto Nagel abgebildet, die in Saratow exklusiv für diese Zeitung entstanden sind.[57]

Die Informationskampagne zugunsten der Ausstellung ist überaus bedeutsam. Als Lunatscharski die Umleitung nach Saratow initiiert, bedenkt er sehr wohl die abweisende Reaktion, die eine deutsche Ausstellung in einer Stadt hervorrufen könnte, wo seit Langem keine ausländische Ausstellung zu sehen war, geschweige denn solcherart zeitgenössische Kunst. Also erscheinen im Vorfeld der Ausstellung in der Saratower *Izwestija* mehrere Beiträge über die sozialen und politischen Zustände in Deutschland; sogar Karikaturen aus der „Roten Fahne"[58] werden abgedruckt.

Otto Nagel spielt bei der Vorbereitung der abgewandelten Ausstellung für Saratow eine Schlüsselrolle. Er erarbeitet den neuen Ausstellungsplan mit vier Abteilungen.

Für die Ausstellung in Saratow bereitet Nagel eine neue Version des Katalogs vor.[59] In dieser Fassung findet sich ein neuer Ausstellungstitel: „Allgemeine internationale Ausstellung deutscher Künstler". Im Unterschied zur ursprünglichen, reich illustrierten Ausgabe mit ausführlichen Einführungen zu neuen künstlerischen Entwicklungen und der aktuellen politischen Situation der Künste in Deutschland wirkt der Saratower Katalog deutlich bescheidener. Nur auf dem Umschlag gibt es eine Abbildung: das Kollwitz-Werk *Brot!* aus der Grafikmappe *Hunger*, die 1924 auf Initiative Otto Nagels erschienen ist. Einsparungen für Druck und Papier, auch das kleinere Format entsprechen, ganz pragmatisch, dem Verwendungszweck des Katalogs als Ausstellungsführer. Der Textteil besteht aus einem Beitrag von Otto Nagel, worin der Künstler ausführlich auf die Gliederung der Ausstellung eingeht, die im ersten und zweiten Obergeschoss des Museums sowie im verbindenden Treppenhaus zu sehen ist. Seine Ausstellung für Saratow unterscheidet sich von denen für Moskau und Leningrad konzipierten. Im Abschnitt über „Neorealismus" beschreibt der deutsche Kurator die charakteristischen Eigenarten der vier Ausstellungsteile:

Politische Kunst. (Abb. S. 18) Eine Gruppe von Künstlern, die sich mit ihrem Schaffen dem Kampf des Proletariats gegen den Kapitalismus anschließt. – Die Künstler wollen keine neue Kunst schaffen, sondern agitieren. – Durch den materiellen, substanziellen Gehalt des Bildes, das von jedem Menschen verstanden wird, versuchen sie auf den Betrachter einzuwirken. Sie stellen den schmierigen, dicken Bourgeois dar, die syphilitische Prostituierte, die bleichen, ausgemergelten Gestalten der Arbeitssklaven, den imperialistischen Krieg mit all seinen Schrecken und in seiner ganzen Abscheulichkeit. Ihre Bilder zielen nicht auf den äußeren Effekt und wollen keinen ästhetischen Genuss vermitteln, sondern sie drücken nur erlebte Wirklichkeit aus. Sie reißen der korrumpierten, verwesenden Gesellschaft die Maske vom Gesicht und zeigen allen die nackte Wahrheit. Wenn viele der Bilder schrecklich aussehen, dann sind daran nicht die Künstler schuld, sondern die verkommene gesellschaftliche Ordnung.

Expressionisten. Im Gegensatz zum Künstler gewesener Zeiten will der Expressionist nicht nur die äußere Erscheinung eines Gegenstands kopieren. Während der Künstler früher die Hülle zeichnete, ist der Expressionist bestrebt, die Seele des Gegenstands wiederzugeben und dem Betrachter zu vermitteln. Er strebt danach, dem Betrachter durch Farben und veränderte Formen eine Vorstellung von der Sache zu vermitteln.

Abstrakter Expressionismus.[60] (Abb. S. 29) Diese Künstler malen ihre Bilder nicht um irgendwelcher Gegenstände willen. Bekanntlich über-

Kunstaustellung in Moskau, in: *Der Cicerone*, Dezember, 24/1924, S. 1198f.; Die deutsche Kunstaustellung in Moskau, in: *Das Neue Rußland*, 7–8/ 1924, S. 41f.; Die erste Allgemeine deutsche Kunstaustellung in Moskau, in: *Sichel und Hammer*, Nr. 2, S. 15.

48 A. Fedorov-Davydov, O nekotorych čertach nemeckoj vystavki [Über einige Wesenszüge der deutschen Ausstellung], in: *Pečat' I revoljucija* [Presse und Revolution], 6/1924, S. 116–123; vgl. Wem gehört die Welt – Kunst und Gesellschaft in der Weimarer Republik, Berlin 1977, S. 245.

49 Abk. für russ.: Gosudarstevennaja akademija chudožestvennych nauk; bestand 1921–1930.

50 Auf einer Sitzung der Sektion für Raumkünste (russ.: sekcija prostrannstvennych iskusstv) am 19.10.1924 sprechen Prof. Aleksei A. Sidorow zur „Bedeutung der zeitgenössischen deutschen Kunst für die russische künstlerische Kultur" und Otto Nagel über „Zeitgenössische Strömungen in der deutschen Kunst"; in: GAChN Otčet 1921–1925 [Bericht der GAChN für die Jahre 1921-25]. Moskva 1926, S. 7.

häuften Künstler vormaliger Kunstepochen ihre Bilder mit Überflüssigem, weil sie sich vor allem für die äußere Form und die Zusammenstellung der Farben interessierten. Die Abstrakten malen ihre Flächenkompositionen nur mit reinen Farben. Vergeblich sucht man in einer solchen Arbeit nach einem Gegenstand: jede dieser Sachen stellt dar, was Du siehst. So wie in der Musik verschiedene Töne einen harmonischen Zusammenklang erzeugen, verfährt der Expressionist mit Farbe und Linie. Gewiss ist das eine indirekte, eine Kunst auf Umwegen.

Konstruktivisten. (Abb. S. 32) Die Konstruktivisten kommen vom abstrakten Expressionismus her. Sie wollen Kompositionen erschaffen, meinen jedoch, dass ein zeitgenössischer Künstler bei dem, was er tut, nie indifferent oder gleichgültig sein darf. Sie arbeiten Hand in Hand mit Technik und Architektur. Nahezu alle Künstler dieser Richtung werden zu Architekten. Diese Arbeiten verstehen sich größtenteils als Suche und Experiment. Früher hat die Arbeit, eine Gruppe von Leuten, eine Ansicht oder anderes ins Bild zu setzen, darin bestanden, Farbe und Gestalt auf der Bildfläche in ein Gleichgewicht zu bringen. Der Konstruktivist organisiert die Oberfläche. Er arbeitet mit Lineal und Zirkel. Die gesamte junge Architektengeneration in Deutschland strebt nach Ganzheit und Zweckmäßigkeit. Gebaut wird in einer Konstruktion aus Eisenbeton und Glas. Der zeitgenössische Architekt liebt sein Material und wendet sich den Besonderheiten der Baustoffe zu. ‚Gerade Linie, keinerlei Details, schnörkellose Fassaden'. ‚Möglichst schön und zweckmäßig.' – das ist es, wonach die jungen Architekten streben."[61]

Im Archiv des Radischtschew-Kunstmuseums sind drei zeitgenössische Ausstellungsfotografien der Brüder Leontjew erhalten geblieben. Neben zahlreichen Werken sind darauf Tafeln mit Ziffern zu erkennen, die mit der Nummerierung von im Ausstellungsführer aufgeführten Werken übereinstimmen. Zusammen mit den exakten Beschreibungen im Katalog, wo genau im Museum die einzelnen Gruppen zu finden waren, kann die Saratower Kunstausstellung weitgehend rekonstruiert werden. Von zahlreichen fehlerhaften Angaben und Ungenauigkeiten einmal abgesehen, enthält dieser seltene Katalog wichtige Informationen, um die tatsächliche Zusammensetzung der „Ersten Allgemeinen Deutschen Kunstausstellung" in der Sowjetunion zu bestimmen.

Genauso wie in der Hauptstadt bereitet Saratow spezielle Gruppenexkursionen vor, um größeren Zulauf zu bekommen und möglichst viele Besucher mit dem Schaffen der deutschen Künstler vertraut zu machen.[62] Hierzu werden Studenten von künstlerischen Fachschulen herangezogen und entsprechend geschult.[63] Der Saratower Künstler M. Poljakow berichtet, was er dabei einmal erlebt: „Damit der Funken übersprang, arrangierte Otto Nagel eine Pressekonferenz für die Studenten der Kunstschule[64], welche die Exkursionen durch die Ausstellung führen und alles erklären sollten. Nagel war unzufrieden, als seine Zuhörer die Bilder, die er ihnen vorstellte, als ‚Schwach!' bezeichneten, nachdem er diese als ‚gut' angepriesen hatte, und weggegangen sind, mit der Erklärung, die Gemälde, die er mitgebracht habe, würden in Moskau wohlwollender aufgenommen. Im oberen Saal waren abstrakte Sachen (Malerei, Skulpturen und Zeichnungen), über die sich leicht und frei etwas sagen ließ, indem man ganz einfach improvisiere. Unten aber gab es thematische Arbeiten, ausgeführt je nach Gewissen und Gefühl des Künstlers, und dort kam es zu komischen Situationen, Fragen, worauf nicht leicht eine überzeugende Antwort zu finden war. Alles hing von der Schlagfertigkeit und Formulierungsgabe des Exkursionsleiters ab. Da war eine Exkursion mit Studenten des Konservatoriums, Mädchen und junge Leute, die Georgi Melnikow durch die Ausstellung führte.[65] Vor einem Bild mit dem Titel *Mein Bruder gleicht einem Tier*[66], darauf kohleschleppende

51 An der Diskussion vom 23.10.1924 beteiligen sich die Kunstwissenschaftler A. A. Fedorow-Dawydow mit dem Vortrag „Nemeckoe iskusstvo djla nas [Was die deutsche Kunst uns bedeutet] und I. Kornitzki [Form und Gehalt der zeitgenössischen deutschen Kunst nach den Materialen der Ausstellung].

52 Aleksej Sidorov, Izobrazitel'nye iskusstva 1924–25gg.: SSSR i Germanija [Die bildenden Künste in den Jahren 1924–25: Sowjetunion und Deutschland], in: *Bjulletin GAChN*, 1/1925, S. 19–30. – Wie aus dem Kontext des Beitrags ersichtlich, spielt Nagel hiermit auf das Bauhaus an.

53 Walli Nagel erzählt in ihren Erinnerungen, Otto Nagel habe oft durch die Ausstellung geführt. Er begleitet Ehrengäste (z.B. Clara Zetkin) wie auch Gruppen von Werktätigen; vgl.: dies.: Das darfst du nicht! Von Sankt Petersburg nach Berlin-Wedding. Erinnerungen. Berlin 2018. – Eric Johansson erinnert sich: "Der Besuch übertraf weit unsere Erwartungen; von früh bis zum Abend drängten sich Arbeiter, Soldaten, Schüler, Studenten, Gelehrte und Künstler in den Sälen, schauend, diskutierend und oft Aufzeichnungen machend." (ders., Die Erste Allgemeine Deutsche Kunstausstellung in Moskau 1924, in: *Bildende Kunst*, 1/1965, S. 660–662).

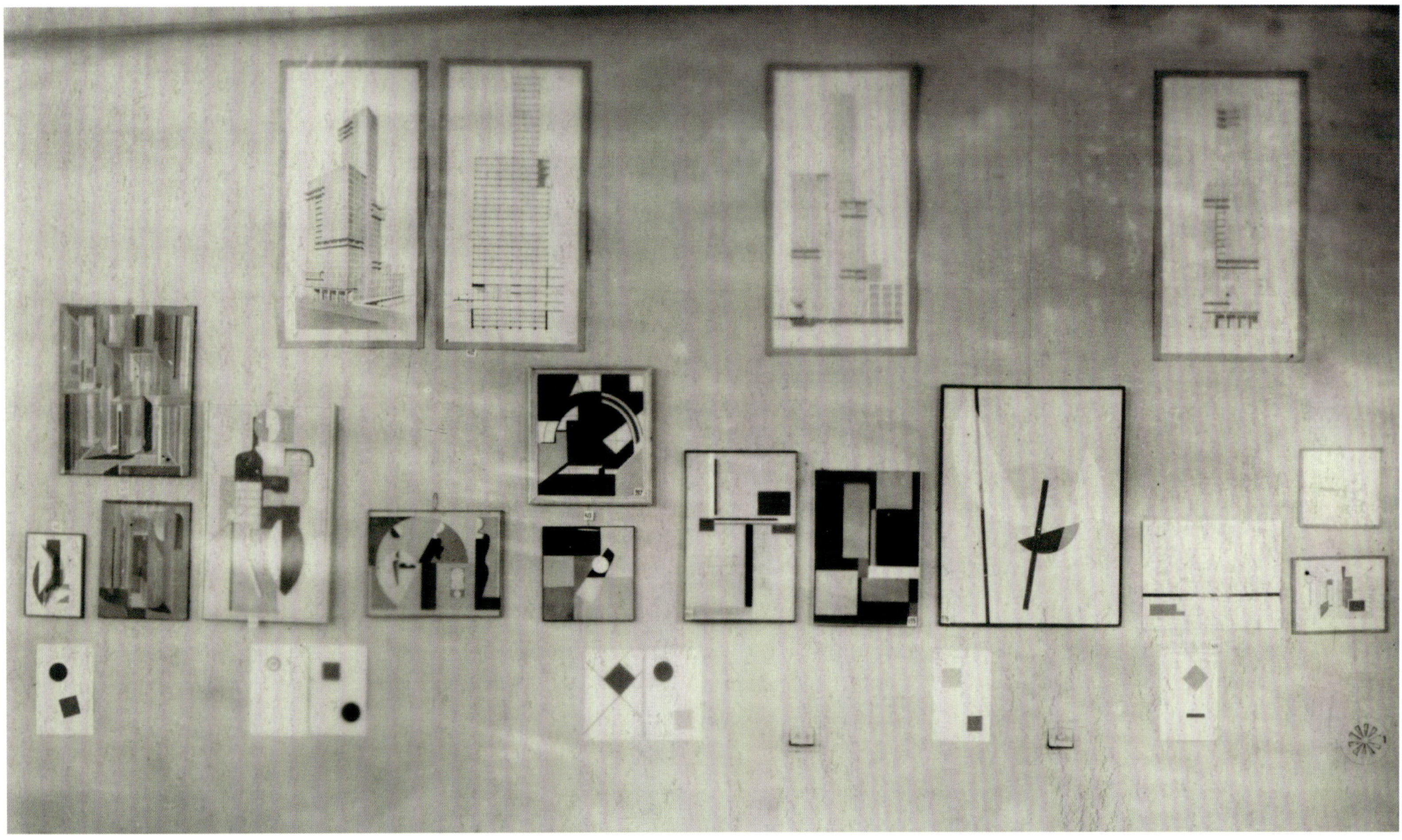

Ansicht der Ausstellung in Saratow, 1924/25, Ausstellungsteil im 2. Obergeschoss, Abteilung für Konstruktivismus, u. a. mit Werken von Willi Baumeister, Oskar Fischer (418), Walter Gropius (412 – Chicago Tribune Tower), László Moholy-Nagy (133, 135, 376, 397, 413, 414) u.s.w.
Fotografie: A. W. und W. W. Leontjew, Archiv des Radischtschew-Kunstmuseums, Saratow

54 Prijezd chudožnika Nagelja [Ankunft des Künstlers Nagel], in: *Izvestija*, Nr. 248 vom 29.10.1924, S. 8.

55 *Izvestija* Nr. 277 vom 4.12.1924, S. 8.

56 „Aus Moskau sollte sie [d.i. die Ausstellung, Ch. H.] nach Leningrad weitergehen, doch Genosse Lunatscharski bemerkte schmeichelhaft, Saratow sei ein so bedeutendes kulturelles Zentrum, dass die Reihenfolge geändert wurde, und die deutschen Künsler beschlossen haben, unsere Stadt zuerst zu besuchen.“; Marko Brun, in: *Izvestija Saratovskogo Soveta*, 21.12.1924, S. 2 (vgl. Anm.1).

57 Jelena Martschenko: Der Berliner Künstler Otto Nagel in Saratow, in: Staatliche Museen zu Berlin Preußischer Kulturbesitz. Forschungen und Berichte, Bd. 26 (1987), S. 305–312.

58 Karikatur Friede auf Erden, in: Izvestija Saratovskogo Soveta, 1.1.1925, S. 1.

59 Vseobščaja meždunarodnaja vystavka germanskich chudožnikov [Allgemeine internationale Ausstellung deutscher Künstler]. Saratov (Gublit) 1924.

60 Im russ. Original: „Abstraktnyj ekspressionism“.

61 Katalog Saratow 1924.

Bergmänner, die anstelle von Pferden unter dem Joch eingespannt waren. Melnikow erläuterte: schwere Arbeit, Menschen anstelle der Tiere und, naja, von der schweren Arbeit sind ihre Gesichter ganz grün geworden. Niemand aus der Gruppe sagte etwas. Dann war da ein anderes Bild, dessen Titel ich nicht erinnere, man sah dicke, betrunkene Bourgeois, Damen auf dem Schoß, mit dazugehörigem Stillleben. Die Gesichter der Herren waren grün. Da fragte eines der Mädchen schüchtern: ‚Genosse Künstler, vorhin haben Sie gesagt, die Gesichter der Arbeiter seien grün wegen der anstrengenden Arbeit, aber hier wird geprasst und getrunken, und wieder sind die Gesichter grün…' Stehender Applaus. Doch Jegor Melnikow fand einen Ausweg. Er schaute das Mädchen streng an und erwiderte: ‚Ich möchte nicht wissen, wie Ihr Gesicht nach einer versoffenen Nacht aussieht!'"[67]

Seit Beginn der deutschen Ausstellung in Saratow publiziert die dortige *Izwestija* Besucherzahlen.[68] Um das allgemeine Interesse anzuheizen, werden auszugsweise Stellungnahmen von Besuchern mit Reproduktionen der vorgestellten Arbeiten abgedruckt und Vorträge angekündigt.[69] Es erscheinen mehrere ausführliche Artikel zur Besonderheit der neuen revolutionären Kunst.[70] Berichtet wird, unter anderem, auch von einer Anfrage des Narkompros der Ukrainischen Sowjetrepublik innerhalb der Sowjetunion, die Schau im Anschluss an Leningrad noch in deren Großstädten zu zeigen.[71]

Die Ausgabe vom 15. Januar 1925 erscheint mit einem Text über die „Rote Gruppe", den Otto Nagel exklusiv für die Saratower Zeitung schreibt.[72] Darin geht er näher auf die einzelnen Mitglieder des kommunistischen Künstlerbundes ein. Einleitend wird der Erfolg des Skandalbildes *Der Schützengraben* von Otto Dix analysiert, das im Kölner Museum abgedeckt und mit einem Hinweisschild versehen ist, worauf „Personen mit schwachen Nerven" geraten wird, nicht hinter den Vorhang zu schauen. Nagel weist darauf hin, dass in Saratow vierzig Arbeiten dieses Künstlers ausgestellt sind. Dann charakterisiert er das Schaffen von Zille, Griebel und Johansson, Kollwitz und Grosz. Im Abschnitt über Kollwitz erinnert er an deren Zeichnung *Brot!*, geschaffen während der Hungerkatastrophe an der Wolga. Dieses ikonische Bild beschreibt er wie folgt: „Darauf abgebildet ist eine Mutter, die uns den Rücken zukehrt und mit beiden Händen ihre Kinder schützt, die vom Hunger gezeichnet sind und krampfhaft an ihr festhalten. Man fühlt das Entsetzen der Mutter, die ihren Kindern kein Brot geben kann. Warum schließt sie dem Kind mit ihrer Hand den Mund? Will sie seinen Hunger stillen oder seinen Schrei unterdrücken?" Ausführlich geht Nagel auf Grosz ein, dem er zugutehält, mit seinen Werken viele Arbeiter in „Ebert-Deutschland" wachgerüttelt zu haben. Zu den Gerichtsprozessen gegen Grosz heißt es: „Die Gesellschaft hat verstanden, wie gefährlich ein solcher Mensch für sie ist. Ein Prozess folgte auf den anderen. Sie beschuldigten ihn der Beleidigung des ‚lieben Gottes', der Republik und Fritz Eberts. Sowie – der Aufhetzung zum Klassenhass." Der Artikel schließt mit einem flammenden Aufruf zur Revolution: „So versuchen die Künstler der ‚Roten Gruppe', das schädliche der verlogenen gesellschaftlichen Ordnung anzuprangern und damit auf die Massen einzuwirken. Wir wünschen den Tag herbei, an dem Künstler Hymnen der siegreichen Revolution anstimmen können."[73]

Besonders werbewirksam erweist sich die Ankündigung über das bevorstehende Eintreffen weiterer hundert Originale aus Moskau – Grafiken von Käthe Kollwitz.[70] Wie aus der Meldung außerdem hervorgeht, haben bereits eintausend Besucher die Ausstellung gesehen. In Aussicht gestellt wird ein Vortrag Otto Nagels über das Skandal-Gemälde *Mädchen vor dem Spiegel* von Otto Dix.

Und dennoch: Bei aller Anstrengung sieht sich das Saratower Publikum außerstande, die Mühe der Organisatoren angemessen zu wür-

62 „In Anbetracht der großen künstlerischen und politisch-erzieherischen Bedeutung der Ausstellung, wird allen Zellen der Russischen Kommunistischen Partei (Bolschewiki) und des Komsomol, den Pioniergruppen, Betriebskitees, Ortsgewerkschaften und allen Gewerkschaftsverbänden im Gouvernement Saratow empfohlen, bei nächster Gelegenheit auf ihren Sitzungen, wenn möglich auf Sonderversammlungen […] die Frage der Ausstellung deutscher Künstler in Saratow zu behandeln". Aufruf, in: *Izvestija Saratovskogo Soveta*, 6.1.1925, S. 1.

63 Otto Nagel leitet Kurse für Arbeiterkorrespondenten und Studenten der künstlerisch-technischen Fachschule, die auf dieser Grundlage dann Ausstellungsführungen übernehmen. Er hält ebenfalls Vorlesungen („Der Klassenkampf und die deutsche Kunst", „Neue Wege in der deutschen Kunst" u. a.).

64 Russ.: chudtechnikum, d.i. Abk. für „chudožestvennyj technikum" [Fachschule für Kunst].

65 Eine zeitgenössische Fotografie zeigt Otto Nagel zusammen mit Georgi Melnikow; in: Archive der AdK, Otto-Nagel-Fotoarchiv, Signatur Nagel-Otto-Fotos 65. Im Findbuch wird die sitzende Person neben ON fälschlicherweise als Saratower Parteisekretär identifiziert.

digen. Das betrifft, wie in Moskau, sowohl Laien wie auch Vertreter der Kunstszene vor Ort.[76]

Um die Situation irgendwie zu retten, setzt das Organisationskomitee eigens eine Diskussionsveranstaltung zum Thema „Auflösungserscheinungen des bürgerlichen Deutschland im Spiegel der Kunst" an.[77] An der Aussprache sollen „Vertreter aus Partei und Gewerkschaften, Berufsverbänden und der besten künstlerischen Kräfte" teilnehmen.[78] Aufgrund des „großen Interesses breiter Arbeitermassen" beschließen die Organisatoren, die Ausstellung bis zum 1. März zu verlängern. Tags darauf bringt die lokale *Izwestija* unter der Überschrift „Die Ausstellung deutscher Künstler – Spiegel des zeitgenössischen Deutschland" einen Diskussionsbeitrag von Lew Ganschinski, der auf die kommende Veranstaltung neugierig machen soll.[79]

Der Autor kritisiert gleich zu Beginn die Vertreter des bürgerlichen Deutschland und prophezeit ihnen ein baldiges Ende: „Der Körper des kapitalistischen Deutschland befindet sich – bezeichnend für den gegenwärtigen Zustand des sterbenden Kapitalismus – in Auflösung. Wie sind gerade alle Augenzeugen dessen, wie die Eitergeschwüre am Körper Deutschlands aufplatzen. Die Ausstellung – ein Spiegel des zeitgenössischen Deutschland." Alle Abteilungen der Ausstellung werden im Folgenden näher vorgestellt, wobei sein besonderes Augenmerk der politischen Kunst gilt, die dieser Autor gegen Angriffe der Besucher in Schutz nimmt. Wie aus dem folgenden Zitat ersichtlich, ist es gerade dieser Ausstellungsteil, der beim Publikum auf die größte Ablehnung stößt: „Im Besucherbuch wimmelt es vor Eintragungen gerade über diese Abteilung. ‚Das ist irgendein Dreck, doch keine Ausstellung', ‚Das ist Pornographie', ‚Eine Beleidigung des Betrachters', ‚Das sind Missbildungen, kranke Zerrbilder des Lebens' usw. usf. Offensichtlich in der Annahme, es sei Sache der Kunst, das Erhabene und Schöne auszudrücken, ahnen die Verfasser dieser Zeilen in ihrer Naivität nicht, dass sie mit diesen Bemerkungen, anstelle der von ihnen gewünschten Missbilligung eine grundlegende Wertschätzung der Ausstellung vornehmen. Unerwartet und für sich vollkommen wahrhaftig brandmarken sie, unter dem Eindruck der Ausstellung, den Zustand des zeitgenössischen Deutschland." Ganschinski schließt mit einem Aufruf: „Jeder sollte die Ausstellung besuchen! Besonders unsere Jugend, die unter den Bedingungen der Sowjetunion aufwuchs und die Unordnung, Unterjochung und Schrecken des Kapitalismus nie gesehen hat. Hieran wird so Einiges deutlich, was den Klassenhass auf die Bourgeoisie fördert."

Dann kommt es zu eine unerwarteten Änderung rund um das Streitgespräch, die noch mehr öffentliches Interesse erregt. Erst am 24. Februar teilt die Zeitung mit, dass die für den 22. Februar geplante Veranstaltung aufgrund der Witterungsverhältnisse ausfallen musste und auf einen späteren Zeitpunkt verschoben ist; bereits erworbene Eintrittskarten – dreihundert Tickets waren demzufolge verkauft worden – behalten ihre Gültigkeit. Der Disput findet schließlich am 1. März statt, am letzten Tag der Ausstellung; eine kurze Ankündigung zu der Abendveranstaltung in der Morgenausgabe der Lokalzeitung macht darauf aufmerksam. Die Meldung nennt das Thema des Hauptvortrags, gehalten von Otto Nagel: „Hat der Künstler das Recht, Prostitution auf der Leinwand darzustellen (*Prostituierte neben dem Spiegel)*".[80]

Zwei Tage später erscheint ein ausführlicher Bericht über diese Veranstaltung.[81] Dem Vortrag Nagels sei das Publikum „aufmerksam gefolgt". Der Redner habe viel von der „Roten Gruppe", „deren Schaffen mit der proletarischen Bewegung verbunden" sei, gesprochen. Für seinen Beitrag habe er Applaus erhalten. Zu Beginn der Aussprache trägt Nagels Übersetzer vor, was die Besucher von der

66 Vermutlich eine Verwechslung zweier Werke des Künstlers Albert Birkle: *Mann mit Pelzmütze (Mein Bruder Tier)* (1923) und *Schlächterwagen* (1923). Beide Gemälde waren ausgestellt.

67 Zitiert nach Efim Vodonos: Očerki kul´turnoj žizni Saratova epochi „kul´turnogo vzryva" [Studien zum kulturellen Leben Saratovs in der Epoche der „kulturellen Explosion"]. 1918–1932. Saratov 2006, S. 213; siehe auch ders., Vseobščaja meždunarodnaja vystavka germanskich chudožnikov v Saratove [Die Allgemeine internationale Ausstellung deutscher Künstler in Saratow] (1924), in: Gubernskaja vlast´ i slovesnost´: literatura i žurnalistika Saratova 1920-ch gg [Literatur und Macht im Gouvernement: Literatur und Journalismus im Saratow der 1920er Jahre]. Saratov 2003, S. 203–215.

68 *Izvestija Saratovskogo Soveta*, 4.1.1925, S. 2; 28.1.1925, S. 2; Interes k germanskoj vystavke ne oslabevaet [Das Interesse an der deutschen Ausstellung lässt nicht nach], in: ebd., 10.2.1925, S. 2.

69 Zum Beispiel die Reproduktion der *Arbeitslosendemonstration* von Karl Holtz (1921). In der sowjetischen Presse wird dieses Blatt unter abweichenden Titeln (*Die Arbeitslosen, Demonstration* oder *Straße*) abgebildet und fälschlicherweise Eric Johansson zugeschrieben; in: ebd., Ausgaben vom 10.,15. und

Ausstellung halten: „[I]m oberen Saal – ‚vollkommen unverständliches Gekleckse' […] im unteren – ‚unverständliche Hässlichkeit, Verrücktheit'. Gar nichts Gemeinsames mit der wirklichen Kunst Deutschlands. Auch keinerlei Wirklichkeit des Lebens, da das kulturelle und kämpfende revolutionäre Deutschland – nichts mit jenen Missgeburten und Degenerierten zu tun hat, die auf den Bildern der Ausstellung dargestellt sind."

In seiner Stellungnahme findet der Künstler Justizki, „der schwache Punkt in den Bildern der deutschen Maler [ist] das Überwiegen des Inhalts über die Form. Das ist ein Fehlgriff, der von der Literatur herkommt. Das sind keine Gemälde, das ist Büchergerede. Wo findet sich der deutsche Arbeiter, wie es ihn in der Wirklichkeit gibt? An seiner Stelle sehen wir Missgebildete und Kretins. Ein solcher Arbeiter macht keine Revolution […] Eine derartige Darstellung des deutschen Arbeiters ist nicht revolutionär."[82] Am Ende des Abends setzt Ganschinski zu einem versöhnlichen Schlusswort an: „Verständlich sind die Proteste gegen die deutschen Künstler der Bourgeoisie, die von Schönheit, dem Reinen und Wahren, die von Kunst faselt. Schönheit – das ist das übliche Mittel, mit dessen Hilfe sie zu suggerieren versucht, alles sei bestens, und die Aufmerksamkeit der Masse abzulenken von den scharfen sozialen Fragen […] Die deutschen Künstler gehen nicht von der Literatur, sondern vom Leben aus. Sie dienen mit ihrer Kunst der größten und notwendigsten Sache. Sie rufen das Proletariat zum Kampf und werden nicht ruhen, bis das deutsche Proletariat seiner Bourgeoisie den Schädel eingeschlagen hat. In dieser Hinsicht können unsere russischen Künstler etwas von ihren deutschen Genossen lernen. Ein Hoch auf die deutschen Künstler! Hoch lebe die Sowjetmacht in Deutschland!"

Einige Tage nach Schließung der deutschen Ausstellung in Saratow meldet die Presse am 10. März 1925 eine ungewöhnliche Aktion, initiiert von den Mitgliedern des Organisationskomitees Otto Nagel und dem Genossen Rysin. Beide weilen einen Tag in der Saratower Manufaktur auf dem östlichen Wolga-Ufer und sprechen dort vor anderthalbtausend Zuhörern aus der Belegschaft. Otto Nagel referiert über die „Lage Deutschlands und der Arbeiterklasse in Deutschland", der sowjetische Genosse über „Revolutionäre Kunst in Deutschland". Laut Zeitungsbericht wird zu den Vorträgen „der beste Teil der Ausstellung deutscher Künstler (Grafik) vorgestellt". Das Auditorium ist begeistert, die Redner erhalten zahlreiche schriftliche Anfragen.[83]

Nach diesem erfreulichen Schlussakkord zieht die Ausstellung mit ihrem Kurator Otto Nagel wie geplant weiter nach Norden, an die russische Ostseeküste.

„Ein Jahrmarkt der Geistlosigkeit"[84] – Leningrad

Im April 1925, am Vorabend der Eröffnung der Ausstellung in Leningrad, erscheint auf den Seiten der vielgelesenen Zeitschrift *Krasnaja panorama* (dt.: Rotes Panorama) ein programmatischer Artikel von Otto Nagel. Hier ist von einem „außerordentlichen Erfolg" der Ausstellungen in Moskau und Saratow die Rede. Nagel stellt zu deren spezieller Ausrichtung klar: „Unsere deutsche Ausstellung ist alles andere als eine Kunstausstellung, wie man sie normalerweise kennt. Unsere Ausstellung – ist realer Ausdruck eines tatsächlichen Inhalts, statt ‚reiner Kunst'. Manchmal fehlt das ‚künstlerische Moment', doch der Eindruck ist dermaßen stark, dass dieses Fehlen nicht auffällt. Es gibt keine fantastischen Ideen, keine raumgreifenden Trugbilder. Die ganze Ausstellung ist ein Streben nach Nüchternheit, nach dem Realistischen, weil die zugrunde liegende Idee dieser Ausstellung an sich nüchtern ist." Der Erste Weltkrieg habe die Verbundenheit von Deutschland mit Russland unterbrochen, und diese müsse die Revolution wiederherstellen. Weiter schreibt Nagel: „Als nun 1922 die

18.1.1925, jeweils S. 2. – Rabočie o vystavke: Neskol'ko slov o vystavke (mnenie rabočego), Prokljatie buržuazii (mnenie rabkora) [Arbeiter über die Ausstellung: Einige Worte zur Ausstellung (die Meinung eines Arbeiters), Verfluchung der Bourgeoisie (Meinung eines Arbeiterkorrespondenten)]; beide in: ebd., 8.1.1925, S. 2. – Anons lekcii Otto Nagelja „Kartina Otto Diksa ‚*Ženščina* pered zerkalom" [Ankündigung des Vortrags von ON „Das Bild *„Frau vor dem Spiegel"* von Otto Dix], in: ebd., 10.2.1925, S. 2; Otčet o vystavlenii Otto Nagelja na konferencija proletarskogo studenčestva [Bericht vom Auftritt ONs auf der Konferenz der proletarischen Studentenschaft], in: ebd., 12.2.1925, S. 3.

70 Rysin, K vystavke germanskich chudožnikov [Zur Ausstellung der deutschen Künstler], in: ebd., 3.1.1925, S. 2; Marko Brun, Na vystavke germanskich chudožnikov (vpečatlenija) [Auf der Ausstellung deutscher Künstler (Eindrücke)], in: ebd., 7.1.1925, S. 3; ders., Na vystavke germanskich chudožnikov (Smertnyj grech germanskich chudožnikov) [Auf der Ausstellung deutscher Künstler (Die Todsünde deutscher Künstler)], in: ebd., 9.1.1925, S. 5; Rysin, Vystavka germanskich chudožnikov (Informacionno-kritičeskij obzor) [Die Ausstellung deutscher Künstler (Ein kritisch-informativer Überblick)], in ebd., 10.2.1925. S. 2.

Umstrittenes Beispiel des deutschen politischen Expressionimus: Albert Birkle, *Arbeiter unter der Maschine*, 1919 Abbildung aus der IAH-Publikation *8 Stunden*

erste russische Ausstellung nach Berlin kam, gingen uns endlich die Augen auf. Wir waren erstaunt, wie stark die Revolution in Russland in der Kunst zum Ausdruck kam, wie die jungen russischen Künstler tatsächlich die proletarische Revolution – das Leben der Straße – in Farben verkörpert haben, während unsere deutschen Künstler im Dunkeln tappten und sie nur erfühlten. Damals entstand der Plan für die Ausrichtung einer Ausstellung, kam der Wunsch auf zu zeigen, was wir im Bereich der Kunst in jenen Jahren zuwege brachten. Es wurden verschiedene Konferenzen und Kommissionen einberufen; dies zog sich über zwei Jahre hin, erbrachte jedoch keinerlei positives Resultat. Und erst die zur Zeit der russischen Hungersnot gegründete Künstlerhilfe der IAH, als das Ergebnis aktiver Solidarität zwischen Künstlern und Proletariat, etablierte eine feste Verbindung zwischen unseren und den Künstlern der Sowjetunion. Mit dem Ende der Hilfeleistungen fiel den Gründern – aktiven Künstlern der politisch linken Ausrichtung – eine neue Aufgabe zu: die Verwirklichung des für Russland gedachten Ausstellungsprojekts. In drei Monaten war alles vorbereitet, und die Ausstellung traf in der Sowjetunion ein.

In der Zusammensetzung der Schau, deren Auswahl ohne Beteiligung offizieller ‚Experten' erfolgte, fehlt es vielleicht an ‚Kunstgrößen', doch dafür beteiligen sich hervorragende junge Kräfte. Statt der Schauseite tritt die wahrhaftige, wesentliche hervor. Die deutsche Kunst zeigt von sich nicht nur, was in Museen und Galerien hängt, sondern auch offiziell nicht Anerkanntes, das prägnant das wirkliche Leben abbildet.

Die bedeutsamste Abteilung der Ausstellung ist die politische. Hier sind Arbeiten derjenigen Künstler ausgestellt, die den Weg zum Proletariat gefunden haben. Jedes Bild – eine Offenbarung! Die wahre Physiognomie der herrschenden Klasse, die verlogene Moral des Kleinbürgertums – Prostitution und Hunger, Krieg und Blutgier der Bourgeoisie – alles ist hier ungewöhnlich augenfällig zum Ausdruck gebracht.

Ein Besucher der Moskauer Ausstellung – ein Student – schrieb ins Besucherbuch: ‚diese Werke lehrten mich die Bourgeoisie noch mehr zu hassen, als alle Bücher, die ich bisher gelesen habe'".[85]

Am 3. Mai 1925 wird die Leningrader Schau eröffnet. Anders als in Moskau und Saratow wird diese in der Lokalpresse nahezu übersehen.[86] Das könnte am Eröffnungstermin gelegen haben: ursprünglich für den 1. Mai geplant, hatte wohl die Obrigkeit dessen Verschiebung verfügt.[87] Die erste Rezension, erschienen drei Tage nach Beginn der Schau im Parteiorgan *Leningradskaja Prawda*, legt bereits die Schwachpunkte der Ausstellung offen. Wie Moskauer und Saratower Stimmen vor ihm, kritisiert auch dieser Autor eine Stimmung von Hoffnungslosigkeit und Pessimismus, welche die Arbeiten der deutschen Künstler durchdringe: „Mit strenger Wahrheitsliebe, enormer Schärfe und großer Intensität stellen die deutschen Künstler Fäulnis und Zerfall der bürgerlichen Gesellschaft dar, die Abscheulichkeit ihrer Kriege, die Perversität ihrer ‚Zerstreuungen' [...] Die vollkommene Abkehr von der ‚reinen Kunst', von jeglicher ‚Neutralität' und dem ‚Apolitischen' ist bei den Künstler-Kommunisten der ‚Roten Gruppe' am stärksten ausgeprägt. [...] Doch gibt es im Schaffen der deutschen Künstler etwas, was schwer zu ertragen ist. Das ist die Stimmung von Ausweglosigkeit und krankhafter Verzweiflung, die in den meisten Bildern vorherrscht. Während die deutschen Künstler sich ganz der Widerspiegelung des ganzen Schmutzes und der Verwüstung der kapitalistischen Ordnung hingaben und die Aufgabe der Kunst zur Nebensache werden ließen, geben sie nicht den kleinsten Hinweis auf den Klassenkampf, auf den Endsieg des Proletariats, der allein den wilden Bacchanalien von Lüge und Laster, welche die

71 Ebd. (In einigen Pressebeiträgen findet sich die Information, Ausstellungen mit deutscher proletarischer Kunst seien, noch vor der 1924–25er Tournee durch die Sowjetunion – in zehn amerikanischen Städten gezeigt worden.)

72 Otto Nagel', „Krasnaja gruppa" germanskich chudožnikov (K vystavke v Saratove) [Die „Rote Gruppe" deutscher Künstler (Zur Ausstellung in Saratow)], in: *Izvestija Saratovskogo Soveta*, 13.1.1925, S. 5.

73 Ebd.

74 Novye kartiny chudožnika Keti Kol'vic [Neue Bilder der Künstlerin Käthe Kollwitz], in: ebd., 7.1.1925, S. 3 (mit Falschinformation, dass die Werke direkt aus Berlin nach Saratow kommen); Na vystavke germanskich chudožnikov 100 novych kartin [100 neue Bilder auf der Ausstellung deutscher Künstler], in: ebd., 11.1.1925, S. 5.

75 Das Bild *Mädchen vor dem Spiegel* von Otto Dix und seine daneben ausgestellte Grafik *Suleika, das tätowierte Wunder (Maud Arizona)* (1922) provozieren einen echten Skandal in der Saratower Gesellschaft; in: ebd., 3.01.1925. S. 2; Na vystavke germanskich chudožniov (vpečatlenija) [Auf der Ausstellung deutscher Künstler (Eindrücke)], in: ebd., 7.1.1925, S. 3.

besprochene Ausstellung so trefflich zeigt, ein Ende machen könnte."[88] Am nächsten Tag kündigt dieselbe Zeitung für den 17. Mai eine Festveranstaltung aus Anlass der Ausstellungseröffnung sowie für den darauffolgenden Tag eine Diskussion über die deutsche Werkschau im Runden Saal der Kunstakademie an. Darüber berichtet die *Leningradskaja Prawda* in ihrer Ausgabe vom 21. Mai. Der Beitrag enthält einen Auszug aus der Rede von Otto Nagel: „Die Ausstellung – ein neues Glied in der Verbindung zwischen den proletarischen Künstlern Deutschlands und Sowjetrusslands. Vor den deutschen Künstlern steht jetzt eine andere Aufgabe als vor den sowjetischen Künstlern. Ihre Verpflichtung – die eigene Kunst als Waffe der Kritik an der zeitgenössischen deutschen Gesellschaft und zur Vernichtung der Bourgeoisie einzusetzen."[89] Es folgen typische Äußerungen anderer Diskussionsteilnehmer, die den Wert der „Labortätigkeit der deutschen Künstler" würdigen, die auf eine angewandte Kunst für die Produktion gerichtet sind. Damit ist ganz offensichtlich der Beitrag des Weimarer Bauhauses gemeint. Auch wird, so die Leningradskaja Prawda, die Befürchtung geäußert, das sowjetische Publikum könnte die Ausstellung ablehnen, weil „die hässlichen Formen des Lebens im heutigen Deutschland ihren Ausdruck in Formen fanden, die unserem Betrachter teilweise unverständlich sind".[90]

Die Ausfälle der Presse gegen die Ausstellung werden immer heftiger. Die Zeitung des Leningrader Komsomol *Smena* bringt unter der Überschrift „Kreuzigung auf der Nietmaschine"[91] eine vernichtende Rez. Der Autor lässt eine Flut an Beschuldigungen auf die deutschen Künstler niedergehen, die unfähig seien, die Aufrufe des Proletariats zu beantworten: „Beim Gang durch die Ausstellungssäle scheint es, als schaute man nicht in viele, sondern in ein und dasselbe Gesicht. Und dies nicht, weil die Bilder gleichförmig wären. Im Gegenteil: die Maler des revolutionären Deutschland besitzen das Talent, unter tausend Abweichungen die eine zu sehen – ein grinsendes, sabberndes, selbstgefälliges Gesicht. Das zeitgenössische und einzige Gesicht des Bourgeois' [...] Welches jedoch ist das Gesicht des Proletariats? Dieses wird gezeigt als Gekreuzigter auf dem Kreuz des Kapitalismus. [...] Der Künstler-Intellektuelle, der sich ganz der Arbeiterklasse verschreibt, zeigt in seinen Werken die Schrecken des Hungers, der Erschießungen, der Gefängnisse. Die Geburt des proletarischen Bewusstseins vermag er nicht zu erkennen. Für ihn ist das Proletariat keine Klasse, sondern eine Ansammlung ausgehungerter, verlotterter ‚unglücklicher' Menschen."[92]

Aufschlussreich erscheint ein polemischer Beitrag des Komponisten Nikolai Strelnikow in der Leningrader Presse.[93] Er ist einem anderen Thema gewidmet, schildert einleitend jedoch persönliche Eindrücke von dem in den Paradesälen der Kunstakademie Ausgestellten: „Vor einigen Tagen besuchte ich die deutsche Ausstellung. Ich habe viel erwartet – doch nichts entdeckt. Es heißt, die Deutschen können den Krieg darstellen. Ich fand: das können sie nicht. Es heißt: die Deutschen verstehen es, wider den Stachel der Erotik zu löcken und mir kam, fürchte ich, in den Sinn: sie könnten es nicht. Ihre Ausstellung ist ein Jahrmarkt seelischer Verarmung, des Gehirnschwunds und Zahnausfalls, einer unbeschreiblichen Grimasse. Mir schien: die Neudeutschen haben nichts mitzuteilen – weder ein Alpha für den kommenden Tag, noch ein Omega über den gestrigen. Bei uns gibt es Interessanteres, Talentierteres und Überzeugenderes."[94]

Drei Wochen später lanciert eine Fachzeitschrift eine Art Gegendarstellung zur Kritik des in Fragen der bildenden Kunst wenig kompetenten Komponisten. Doch verschärft diese vermeintliche Ehrenrettung der deutschen Kunst tatsächlich die Situation bloß noch. Der Autor des Artikels, der bekannte Leningrader Kunstkritiker Sergei Isakow, erklärt das angeblich geringe Niveau der präsen-

76 Vehementester Kritiker der Ausstellung ist der bekannte Avantgarde-Künstler Valentin Justizki (1894–1951). 1918 nach Saratow geschickt, leitet er dort ein Atelier für Malerei und Zeichnung beim Saratower Proletkult. Seit 1920 Professor an den Saratower Freien Staatlichen Künstlerischen Werkstätten (russ.: Saratovskie svobodnye gosudarstevennye chudožestvennye masterskie). 1937 verhaftet unter dem Vorwurf antisowjetischer Agitation, verbringt er zehn Jahre in Strafarbeitslagern des GuLag-Systems.

77 L. Ganžinskij, Vystavka germanskich chudožnikov – zerkalo sovremennoj Germanii (k disputu 22 fevralja 1925 goda) [Die Ausstellung der deutschen Künstler – ein Spiegel des zeitgenössischen Deutschlands (zur Debatte am 22.2.1925)], in: *Izvestija Saratovskogo Soveta*, 20.2.1925, S. 1.

78 M.W. Zajtsew, L. W. Ganschinski, Marko Brun; von den Künstlern: Zenkewitsch, Justizki, Rysin, Lewin u. a.; dazu: Javlenie razloženija buržuaznoj Germanii v zerkale iskusstva [Die Erscheinung des Niedergangs der Bourgeoisie im Spiegel der Kunst], in: ebd., 1.3.1925, S. 2.

79 Siehe Anm. 77.

80 Gemeint ist das Gemälde von Otto Dix.

tierten Arbeiten mit der bekannten These von der Nachrangigkeit der deutschen Kunst: „Die Schüler sind meistens schwächer als die Lehrer. Die deutschen Expressionisten – sind Schüler von Kandinski und Chagall. Die Konstruktivisten – Schüler Tatlins. Die Suprematisten – von Malewitsch [...] Eine klare Sache, mit formalen Versuchen und Errungenschaften können sie uns nicht überzeugen [...] Wache! Wir ersticken! Zu Hilfe! So schreien die deutschen Künstler. Die übelriechende Pestbeule der zerfallenden Bourgeoisie schnürt uns den Hals zu! Wir verfaulen und entarten! Zum Teufel die ganze Kunst um der Kunst willen!

Der Pinsel des Künstlers möge zum Rasiermesser werden, der Hammer des Bildhauers – zum Rammsporn, der Stichel des Graveurs – zum chirurgischen Skalpell. Legen wir mit den Mitteln der Kunst das ganze Übel des Kapitalismus bloß! Drängen wir das Proletariat auf den Weg des revolutionären Kampfes!"[95]

Ende Mai präsentiert die *Leningradskaja Prawda* unerfreuliche Besucherzahlen. Auf den ersten Blick erscheinen sechstausend Menschen als recht ordentliche Größe, klagt der Autor, doch diese Zahl sei völlig unbedeutend im Vergleich mit dem Zustrom, den dieselbe Ausstellung in Moskau und Saratow verzeichnete, „gerade für Leningrad". Als Ausweg aus der Situation schlägt der Korrespondent der Parteizeitung vor, Exkursionen „für Gewerkschaftsmitglieder, Rotarmisten usw." einzurichten. Dies scheint gelungen zu sein, jedenfalls schildert die Gattin von Otto Nagel, Walentina Nagel, in ihren Erinnerungen, wie sie ihren künftigen Ehemann gerade auf einer Exkursion kennenlernt, die Otto leitet.[97] Sie erinnert sich zudem daran, wie Eltern ihre Kinder nicht zur Ausstellung ließen, weil sie einen schädlichen Einfluss der deutschen Bilder unzüchtigen Inhalts fürchteten, desgleichen an die skandalmäßige Bekanntheit des Dix-Gemäldes *Mädchen am Spiegel*, auch daran, wie die Ausstellung die Künstler der älteren Generation und die schöpferische Jugend in zwei Lager spaltete. Allerdings werfen die Memoiren der Künstlergattin einige Fragen auf. Sie entstehen viele Jahre nach den Ereignissen und bewegen sich im Rahmen der herrschenden sozialistischen Ideologie ihres späteren Heimatlandes DDR.[99]

Erst 1926 tritt Otto Nagel in Begleitung seiner russischen Frau Walentina und den verpackten Kunstwerken die Heimreise nach Berlin an. Dort gibt er den Künstlern die nicht verkauften Arbeiten zurück. Damit endet seine Tätigkeit im Zusammenhang mit der „Ersten Allgemeinen Deutschen Kunstausstellung" in der Sowjetunion.

Kuratorische Aktivitäten bis 1933

Otto Nagels Tätigkeit für die Überblicksausstellung deutscher Kunst begründet seine enge Bindung an die Sowjetunion. Weitere grenzüberschreitende Unternehmungen, die seinen Kontakt zu sowjetischen Genossen festigen, sollen folgen. In der zweiten Hälfte der 1920er Jahre intensiviert sich die Zusammenarbeit noch – bis zu Hitlers Machtübernahme und den politischen Veränderungen in der UdSSR im Zuge der Stalinisierung.[100]

In Berlin pflegt Nagel Umgang mit russischen Künstlern. Wie Walentina Nagel bezeugt, besucht El Lissitzky das Paar im Berliner Wedding oft; Otto bekommt von ihm eine Staffelei geschenkt. Während seines Kurzaufenthalts in Berlin 1927 ist einmal Kazimir Malewitsch bei ihnen zu Gast.

Wie viele andere Gleichgesinnte und Kampfgenossen seiner Zunft beteiligt sich Nagel an Aktionen zur Unterstützung der Sowjetunion.[101] Seine Karikaturen werden von sowjetischen Satirezeitschriften abgedruckt.[102] Einige Gemälde und grafische Blätter von ihm gelangen in die Sammlungen sowjetischer Museen. Ein Jahr nach der Deutschen Kunstausstellung wird im Staatlichen Museum Neuer

81 M.B. (d. i. Marko Brun), Disput o vystavke germanskich chudožnikov [Die Debatte über die Ausstellung der deutschen Künstler], in: *Izvestija Saratovskogo Soveta*, 3.3.1925; ebd., 3.3.1925, S. 4.

82 Ebd.

83 Ebd., 10.3.1925, S. 4.

84 N. Strel'nikov, Ob odnom v svoem rode edinstvennom jubilee [Über ein an sich einzigartiges Jubiläum], in: *Žizn iskusstva* [Leben der Kunst], Nr. 21 vom 26.5.1925, S. 10.

85 Otto Nagel', Germanskaja vystavka v SSSR [Die deutsche Ausstellung in der UdSSR], in: *Krasnaja panorama* [Rotes Panorama], Nr. 15 (57), 1925, S. 10.

86 Es gibt eine kurze Mitteilung in der *Krasnaja gazeta* [Rote Zeitung], Nr. 104 vom 3.5.1925 (Abendausgabe), S. 4.

87 Michail Dedinkin vermutet eine ablehnende Einstellung der Parteiführung zur Ausstellung; siehe ders., Pervaja vseobščaja germanskaja chudožestvennaja vystavka 1924–1925 godov: iskusstvo nemeckogo avangarda i sovetskaja publika [Die Erste Allgemeine Deutsche Kunstausstellung 1924–1925: Kunst der deutschen Avantgarde und die sowjetische Öffentlichkeit], in: *Iskusstvoznanie* [Kunstwissenschaft], 4/2021, S. 218–255.

Die Gemälde *Der Jubilar* und *Mann mit Augenstar* von Otto Nagel, ausgestellt in Moskau

Ansicht der deutschen Abteilung in der Ausstellung „Revolutionäre Kunst in den Ländern des Kapitalismus" im GMNZI, 1932
Archiv Staatliches Puschkin-Museum für Bildende Künste, Moskau, F. 13, op. VI, d. 14

88 BK, Germanskie chudožniki [Die deutschen Künstler], in: *Leningradskaja pravda*, Nr. 100 vom 6.5.1925, S. 7.
89 Ebd., 21.5.1925.
90 Ebd.
91 Anspielung wohl auf das Gemälde *Kreuzigung auf der Maschine* von Albert Birkle, Katalog Moskau u. a. 1924, S. 23, dort aufgelistet als Nr. 47, russ.: Raspjaty na mašine [Gekreuzigter auf der Maschine]; Abb. auf S. 29 der IAH-Publikation 8 Stunden! (vgl. Anm. 16).
92 GB, Raspjatie nad klepal´nom presse (Vystavka germanskich chudožnikov) [Kreuzigung auf der Nietmaschine (Die Ausstellung deutscher Künstler)], in: *Smena* [Der Wechsel/ Umstellung], Nr. 112 vom 20.5.1925, S. 10.
93 N. Strel´nikov, in: Žizn iskusstva vom 26.5.1925 (vgl. Anm. 84).
N. Strel´nikov, d.i. Nikolai Michailowitsch von Menzenkampf (1888–1939), russ.-sowjet. Komponist, Musikkritiker und Dirigent. 1935 vom NKWD inhaftiert.
94 Ebd.
95 S. Isakov, Ej, IZO, češi mne pjatki! (Otvet na stat´ju Strel´nikova iz No 21) [Antwort auf den Beitrag von Strelnikow in Nr. 21], in: ebd., Nr. 24 vom 16.6.1925, S. 13.

Kunst des Westens (GMNZI)[103] in Moskau, in dessen zweiter Abteilung (Sammlung Morozow), eine Abteilung für neue deutsche Malerei eröffnet. Diese besteht im Kern aus „Werken, die auf der allgemeinen deutschen Ausstellung angekauft worden sind (Nagel, Dix, Johannsson)".[104] Auf der Basis dieser Kollektion organisiert das GMNZI einige Zeit darauf eine Retrospektive deutscher Kunst der letzten fünfzig Jahre. In deren letztem Abschnitt werden Arbeiten von Meistern aus der „Roten Gruppe" ausgestellt.[105]

Nagel beteiligt sich weiterhin aktiv an der Vorbereitung von Ausstellungen in Zusammenarbeit mit sowjetischen Kulturorganisationen. Als die Staatliche Akademie für Kunstwissenschaften (GAChN) 1926 ihre „Ausstellung Revolutionärer Kunst des Westens" im Rumljanzew-Museum in Moskau ankündigt, gehört er zu den ersten, die ihre Hilfe bei der Organisation anbieten. Andererseits befördert er die Ausbreitung sowjetischer Kunst im Westen. Dank seiner Bemühungen[106] eröffnet 1931 in Berlin, im Haus der Juryfreien am Platz der Republik 4, eine internationale Kunstschau „Frauen in Not", mit einer Abteilung für Arbeiten sowjetischer Künstler.

Im November 1932 zeigt das GMNZI zum 15. Jahrestag der Oktoberrevolution in Moskau die thematische Schau „Revolutionäre Kunst in den Ländern des Kapitalismus". Werke der „Roten Gruppe" und speziell Otto Nagels Arbeiten bekommen dort einen Ehrenplatz[107].

Das Staatliche Museum Neuer Kunst des Westens, begründet auf dem Bestand der einzigartigen Sammlungen von Schtschukin und Morozow – per Sonderdekret Lenins gleich nach der siegreichen Revolution 1917 verstaatlicht –, ist das erste Museum für zeitgenössische Kunst weltweit. Sein legendärer Direktor Boris Ternowez bemüht sich bei der von ihm aktiv verfolgten Erweiterung die Sammlung um eine möglichst vollständige Repräsentation der Stile und Tendenzen in der zeitgenössischen Kunst des Auslands. Neben der Vervollständigung der Sammlung leitet er die Ausstellungstätigkeit des Museums. Im Archiv des früheren GMNZI, heute in der Handschriftenabteilung des Staatlichen Museums für Bildende Künste, dem Moskauer Puschkin-Museum, liegt die Korrespondenz zwischen Otto Nagel und Ternowez. Darin erörtern beide die Organisation einer gemeinsamen Ausstellung in Moskau. Im seinem Schreiben an den Direktor vom 30. November 1931, das auf Russisch verfasst ist, kommt der deutsche Künstler auf den Erfolg der Ausstellung „Frauen in Not" zu sprechen: „[G]estern schloss die Internationale Ausstellung in Berlin, deren Organisator ich war. Über 200 Zeitungen schrieben darüber, mehr als 20.000 Menschen sind während der drei Wochen durch die Ausstellung gelaufen und jetzt geht sie nach Norwegen."[108] Dann schlägt Nagel, offenbar Bezug nehmend auf den letzten Brief von Ternowez, seine Hilfe bei der Realisierung eines Ausstellungsprojekts in Moskau vor: „Sie möchten Ausstellungen revolutionärer deutscher Künstler durchführen. Wir haben hier eine solche Gruppe, doch darin ist kein einziger proletarischer Maler von Bedeutung. Doch gibt es bei uns eine weitere Gruppe proletarischer Künstler, der ich angehöre: Käthe Kollwitz, Otto Dix, George Grosz usw. Das sind Künstler, die ein gemeinsames Empfinden verbindet und die großen Einfluss haben [...] Wenn Sie mit einer nicht allzu großen, doch bedeutenden Ausstellung starten wollen, schlage ich Käthe Kollwitz vor." Nagel erwähnt eine frühere Begegnung mit der „Allunionsgesellschaft für kulturelle Kontakte mit dem Ausland" (WOKS). Die Leitung der Allunionsgesellschaft für kulturelle Verbindungen mit dem Ausland sei an ihn herangetreten und habe den Wunsch geäußert, zum Internationalen Frauentag in Moskau eine Kollwitz-Ausstellung zu organisieren, deren Kosten sie übernehmen würde.

96 Germanskaja chudožestvennaja vystavka [Die deutsche Kunstausstellung], in: *Leningradskaja pravda*, Nr. 121 vom 30.5.1925, S. 3.

97 Waleria und Otto Nagel lernen sich auf einem Empfang des Narkompros Lu natscharski in Leningrad kennen; vgl. W. Nagel (2018), S. 49f.

98 Die Künstlervereinigung „Obščina chudožnikov" [Künstlergemeinde] richtet 1925 eine Festveranstaltung für deutsche proletarische Künstler aus.

99 Die sowjetische Ausgabe weist Kürzungen auf und enthält fehlerhafte Angaben.

100 Eine Kurzgeschichte über einen deutschen Soldaten namens „Otto Igel", dessen Name als homophone Variation aus „Otto Nagel" gebildet scheint, spielt wohl mit der Bekanntheit des deutschen Künstlers (G. Venus, Invalid, in: *Krasnaja panorama*, 31/1926, S. 2).

101 Als Beispiel kann die Publikation des Aufrufs „Protiv novoj vojny! Za Sovetskij sojuz! (Vozzvanie predstavitelej evropejskoj intelligencii)" [Aufruf der Vertreter der europäischen Intelligenz] gelten; in: *Pravda*, Nr. 30 vom 6.2.1927, S. 2. Zu den Unterzeichnern zählten u. a. H. Barbusse, K. Kollwitz, Th. Mann, A. Behne, H. Vogeler, H. Zille, W. Grohmann, E. Toller, E. Piscator, R. Schlichter und Otto Nagel.

„Blätter der Verzweiflung und des Zorns"[109] – Die sowjetischen Kollwitz-Ausstellung

Sie ist die beliebteste und am meisten respektierte Künstlerin in der Sowjetunion. Ihr Schaffen wird in den wichtigsten Museen des Landes ausgiebig vorgestellt. Über keinen anderen ausländischen Künstler werden so viele Artikel verfasst wie über Käthe Kollwitz. Zu sehen sind ihre Werke zuerst auf der Allgemeinen Deutschen Kunstausstellung. Die dort ausgestellten Kollwitz-Werke erwirbt größtenteils das Narkompros. Als aktive Unterstützerin der „Gesellschaft der Freunde des neuen Russland"[110] wird die Künstlerin 1927 sodann eingeladen, an den offiziellen Feierlichkeiten zum 10. Jahrestag der Oktoberrevolution teilzunehmen.[111] Im darauffolgenden Jahr wird in Moskau und Kazan, passend zu ihrem sechzigsten Geburtstag, eine Personalausstellung organisiert.[112] Gezeigt werden grafische Blätter von Kollwitz aus der Sammlung des Staatlichen Puschkin-Museums für Bildende Künste (GMII) in Moskau.

Unter Federführung von WOKS und der sowjetischen Künstlergewerkschaft „Wsekochudoschnik" entsteht 1931 der Plan, in der Sowjetunion eine ganze Reihe von Personalausstellungen und Themenschauen mit ausländischer Kunst durchzuführen.[113] Eine der ersten in dieser Folge soll eine Retrospektive der berühmten deutschen Künstlerin sein, deren Eröffnung für den 8. März 1932 vorgesehen ist, am Internationalen Frauentag. Auf Einladung von WOKS begeben sich Otto und Walentina Nagel im Sommer desselben Jahres von Moskau nach Leningrad. Dort sollen allgemeine Fragen zur Organisation dieser Ausstellung besprochen werden.

Aus der erhaltenen Korrespondenz von Käthe Kollwitz mit den Mitarbeiterinnen und Mitarbeitern von WOKS geht hervor, welchen wichtigen Beitrag Otto Nagel zum Zustandekommen dieser Ausstellung leistet. An die Moskauer Organisatoren der Schau schreibt

Umschlag des Katalogs der sowjetischen Personalausstellung von Käthe Kollwitz, 1932

102 Mit Heinrich Zille gründet Otto Nagel 1928 die satirische Zeitschrift *Eulenspiegel*. Die sowjetische Satire-Zeitschrift *Krokodil*, 8/1929 (Oktober), bringt auf S. 9 eine Karikatur von Nagel.

103 GMNZI, d. i. Abk. für Gosudarstvennyj Muzej Novogo Zapadnogo Iskusstva [Staatliches Museum für Neuere Kunst des Westens].

104 Kollektiv avtorov, in: *Žizn iskusstva*, Nr. 26 vom 30.6.1925, S. 21.

105 Otkrytie vystavki germanskogo iskusstva za 50 let [Eröffnung der Ausstellung deutscher Kunst der letzten 50 Jahre], in: ebd., Nr. 46 vom 17.11.1925, S. 23.

106 Brief von Otto Nagel an Hannah Höch; in: Archive der Berlinischer Galerie, Nachlass Hannah Höch, Inv. Nr. BG-HHC K 4293/7.

107 In der Handschriftenabteilung des Gosudarsvennyj muzej izobrazitel'nych is kusstv imeni Puškina (GMII)/ Staatliches Puschkin-Museum für Bildende Künste in Moskau sind in der Überlieferung des Staatlichen Museums für Neuere Kunst des Westens (GMNZI) Unterlagen zur Ausstellung „Revolutionäre Kunst in den Ländern des Kapitalismus" erhalten. – Für die auch als „Revolutionäre Künstler des Westens" bekannte Ausstellung wurde ein Katalog vorbereitet, der nicht erschienen ist (OR GMII, f. 13, op. II, ed.chr. 125). – Die

Käthe Kollwitz, *Wir schützen die Sowjetunion (Solidarität)*, 1932, Lithografie
Staatliches Puschkin-Museum für Bildende Künste, Moskau
Inv.nr. G-113812
Copyright: Staatliches Puschkin-Museum für Bildende Künste, Moskau

Museumsmitarbeiterin A. P. Altuchova verfasste hierfür den Text „Tvorčeskij put´ Otto Nagelja" [Der schöpferische Weg von ON]. Das Inhaltsverzeichnis erwähnt auch einen eigenen Beitrag des Künstlers („Vychod" [Ausgang]).

108 Zitiert nach N. V. Javorskaja, K istorii meždunarodnych svjazej Gosudarstvennogo muzeja novogo zapadnogo iskusstva [Zur Geschichte der internationalen Kontakte des Staatlichen Museums für neue westliche Kunst] (1922-1939), in: I. E. Danilova (Hg.), Iz archiva GMII. Vypusk 2 [Aus dem Archiv des GMII. Zweite Lieferung]. Moskau 1978, S. 257.

109 A. A. Sidorov, Listy otčajan´ja i gneva (K 65-letiju Kete Koll´vic) [Blätter der Verzweiflung und des Zorns], in: *Sovetskoe iskusstvo* [Sowjetische Kunst], Nr. 26 vom 9.6.1932, S. 1.

110 Gegründet am 1.6.1923 auf Initiative des sowjetischen Botschafters in Berlin, Nikolai N. Krestinski. Adolf Behne, Edwin Redslob und Paul Westheim sind zeitweise Mitglieder. Siehe: Matthias Heeke, Reisen zu den Sowjets. Der ausländische Tourismus in Rußland 1921–1941. Münster u. a. 2003, S. 27.

111 Außer Käthe Kollwitz nehmen auch Diego Riviera, David Alvaro Siqueros, Lois Lozowick u. a. ausländische Künstler an den Feierlichkeiten zum 10. Jahres-

Kollwitz: „Gleich nach Eintreffen Eures Briefs habe ich Kontakt zu Otto Nagel aufgenommen, der es übernahm, meine Personalausstellung nach Moskau zu bringen [...] Er wird sich auch um den Einführungstext kümmern."[114] Zur Erklärung für ihren Wunsch, die gesamte Organisation an Nagel zu übergeben, führt die Künstlerin aktuelles Unwohlsein und die große Arbeitsbelastung im Zusammenhang mit der Aufstellung ihrer Skulpturengruppe „Trauerndes Ehepaar" für den deutschen Soldatenfriedhof im belgischen Vladslo an.

Im Mai 1932 trifft Nagel in Moskau ein. Neben den Arbeiten bei der Einrichtung der Ausstellung beteiligt er sich am gesellschaftlichen Leben der sowjetischen Künstlerorganisationen. Während seines Aufenthalts in der Sowjetunion schlägt er WOKS vor, mehrere Vorträge für ihn zu arrangieren. Am 19. Mai findet eine Arbeitsbesprechung des Künstlerischen Sektors der Organisation für Auslandskontakte statt. Dort hört man sich Nagels Thesen an und legt Programm und Format von vier öffentlichen Auftritten des Künstlers fest: „Richtung und Wege der zeitgenössischen deutschen Kunst" als Vortrag für WOKS, „Kunst und Klassenkampf in Deutschland", vorzutragen in der Kommunistischen Akademie, ein spezieller Vortrag für Künstler („Die sozial-ökonomische Situation der Künstler in Deutschland") und schließlich eine öffentliche Diskussion auf der Kollwitz-Ausstellung „unter Einbeziehung der Gesellschaft der Werktätigen in ihrer Breite".[115]

Die feierliche Eröffnung der Ausstellung findet am 27. Mai 1932 im Ausstellungssaal der Künstlergewerkschaft in Moskau am Kuznetzki Most statt. In der Ausstellung gezeigt werden 142 Arbeiten der Künstlerin, die zwischen 1892 und 1932 entstanden sind. Zur Eröffnung erscheint ein schmaler Katalog[116]. Die Einleitung von Otto Nagel macht sowjetische Leser einmal mehr mit dem Schaffen der berühmten deutschen Künstlerin bekannt.[117] Als Organisator der Schau möchte er die Neugier einer möglichst großen Zahl von Betrachtern aus dem Arbeitermilieu wecken. Er versucht, den Wert der Schöpfungen von Käthe Kollwitz möglichst eingängig zu erklären: „Ihre unsterblichen Werke – Frucht eines beschwerlichen Arbeitslebens – gehören der arbeitenden Klasse, deren Lebensweise mit ihren Nöten und Leidenschaften, Kampf und Streben sie in ihren Zeichnungen bewahrt hat. [...] Sie zeichnet keine Motive, keine Widerspiegelungen, keine Puppen und Phantome – sie zeichnet das authentische Leben. Es gibt auf ihren Bildern keinen einzigen Strich, der keine politische Haltung hätte, nicht aufschreit und die kapitalistische Ordnung anklagt, der die ganze geistlose Spießigkeit und Verlogenheit der bürgerlichen Lebensform nicht freilegen und anklagen würde."[118]

Dann kommt Nagel auf die unzerbrechliche Verbundenheit zwischen der Künstlerin und dem Land der siegreichen Revolution zu sprechen: „Alle Sympathien von Käthe Kollwitz liegen auf Seiten des großen Aufbauwerks, das in der Sowjetunion vollbracht wird, so dass ihr Herz bebt vor Liebe für die Brüder im Osten, zum Land des sozialistischen Aufbaus. Den künstlerischen Ausdruck ihrer lebendigen Sympathie schuf sie mit ihrer letzten Arbeit *Wir schützen die Sowjetunion*.[119] Dieses Werk widmet Käthe Kollwitz dem sowjetischen Proletariat. In ihm hat sie die Gedanken und Gefühle von Millionen deutscher Arbeiter und Bauern ausgedrückt."[120]

Am 15. Juni, dem letzten Tag dieser Personalausstellung in Moskau, gibt es eine Diskussionsveranstaltung über das Schaffen von Kollwitz. In seiner programmatischen Rede, die ein Fazit der Ausstellung zieht, erklärt M. Maslenikow, die sowjetische Jugend solle sich an den Arbeiten von Kollwitz ein Beispiel nehmen.[121] Die Teilnehmer setzen ihre Unterschriften unter ein Bittschreiben, in dem die Künstlerin gebeten wird, die Ausstellungsdauer zu verlängern und einer

tag der Oktoberrevolution in Moskau 1927 teil. – In ihren Erinnerungen (S. 89f.) erwähnt Walli Nagel, sie habe mit Otto Nagel das Ehepaar Kollwitz in der Zeit ihres Moskauer Aufenthals begleitet. Sie verknüpft dieses Ereignis mit der bevorstehenden Eröffnung der Personalausstellung der Künstlerin – die erst später stattfindet. Kollwitz reist nur einmal, 1927, in die Sowjetunion.

112 Gudrun Fritsch: Käthe Kollwitz und Russland: Eine Wahlverwandtschaft. Leipzig 2012; Friedegund Weidemann „Ich grüße Sie aus vollem Herzen" – Käthe Kollwitz und Otto Nagel, in: Astrid Boettcher und Iris Berndt (Hg.), Käthe Kollwitz und ihre Freunde. Katalog zur Sonderausstellung anlässlich des 150. Geburtstages von Käthe Kollwitz. Berlin 2017; Thomas Flierl, "Turmhoch über dem kurzsichtig leidenschaftlichen Parteikampf". Käthe Kollwitz, die „proletarische Kultur" und die Sowjetunion, in: Kathleen Krenzlin (Hg.), Käthe Kollwitz und Berlin. Eine Spurensuche. Herausgegeben im Auftrag des Bezirksamts Pankow von Berlin. Berlin 2017, S. 243–293.

113 Abk. für „Vserossijskij kooperativnyj sojuz rabotnikov izobrazitel'nych iskusstv" [Allunions-Kooperativ-Gewerkschaft der Bildenden Künstler (wörtlich: der Arbeitenden in den BK)]; besteht 1928–1953 als Vereinigung der

Tournee durch die großen künstlerischen Zentren des Landes zuzustimmen: Leningrad, Charkow, Kiew, Odessa u. a. m.

In ihrer Antwort auf diesen flammenden Appell erklärt Kollwitz ihr Einverständnis zu einer Verlängerung, stellt den sowjetischen Organisatoren aber eine wichtige Bedingung: „Wir kamen zu der Einschätzung, daß ein weiteres Präsentieren der Ausstellung in Leningrad, Charkow und Tiflis sehr wünschenswert wäre, unter der Bedingung, daß der mit gut bekannte Otto Nagel selbst diese Ausstellungen hängt."[122] Nichts spricht von russischer Seite dagegen, den bewährten Kurator damit zu betrauen.

Im Sommer 1933 trifft Nagel erneut in der sowjetischen Hauptstadt ein, um die Arbeiten von Kollwitz einzusammeln und nach Deutschland zurückzuführen. Die politischen Vorgänge in Deutschland, wo Hitler am 30. Januar Reichskanzler wird und die Diktatur der Nationalsozialisten zu errichten beginnt, erschwert den weiteren künstlerischen Austausch mit dem kommunistischen Staat und macht ihn bald unmöglich.

Abbruch

Eine der letzten Ausstellungen in der Sowjetunion, bei der Kunstwerke von Otto Nagel vorgestellt werden, die während der „Ersten Allgemeinen Deutschen Kunstausstellung" in den Besitz sowjetischer Museen gelangt sind, ist die „Ausstellung der Bilder ausländischer revolutionärer Künstler", organsiert vom Leningrader Künstlerbund und dem Internationalen Büro revolutionärer Künstler (MBRCh).[123] Sie wird am 18. März 1935 im Klub der Baltischen Werke eröffnet. In einer Zeitungsmeldung gibt die *Prawda* Reaktionen der Arbeiter auf die ausgestellten Werke wieder: „Einen starken Eindruck ruft das Gemälde von Otto Nagel *Der Jubilar* hervor: ein alter blinder Arbeiter, der die Arme hoffnungslos hängen lässt, sitzt in einem Stuhl, vor ihm steht ein Korb, daran ein Band mit aufgeschriebener Gratulation aus Anlass seines fünfzigjährigen Arbeitsjubiläums im Betrieb des Kapitalisten."[124]

Dies ist die letzte Erwähnung Nagels in der sowjetischen Presse vor dem Zweiten Weltkrieg, der vier Jahre später beginnt. ■

Aus dem Russischen von Christian Hufen

Arbeitsgenossenschaften von Kunstmalern, Bildhauern und Kunsthandwerkern. – Die erste ausländische Ausstellung, die sich dieser Initiative verdankt, war die Personalschau des GMNZI für John Heartfield 1931.

114 Alešina, Javorskaja (Hg.), S. 251f.

115 Ebd., S. 170.

116 Kete Koll´vic. Moskva (Vsekochudožnik) 1932.

117 In den 1920er und 1930er Jahren erscheint in der sowjetischen Presse zum Werk von Käthe Kollwitz eine Vielzahl an Aufsätzen und Stellungnahmen. Sie ist derart populär, dass ihr Name sogar in Kreuzworträtseln erfragt wird; in: *Ogonjok* [Flämmchen/Feuer/Schwung], Nr. 28 vom 28.7.1928, S. 16. 1928 erscheinen zwei Kataloge zu ihren Personalausstellungen in Moskau und Kazan: Kete Koll´vic 1867–1827. Vystavka gravjur. K 60-letiju chudožnicy [Ausstellung der Druckgrafik. Zum 60. Geburtstag der Künstlerin]. GMNZI. Moskva 1928; V. Dul´skij: Kete Koll´vic. Kazan´ 1928. – Im Vorfeld der Ausstellung von 1932 erscheinen zwei Monografien: A. A. Sidorov: Kete Koll´vic. Moskva, Leningrad (Academia) 1931; V. S´jedina: Kete Koll´vic. Moskva, Leningrad (OGIZ-IZOGIZ) 1931.

118 Otto Nagel, in: Koll´vic (1932), S. 9.

Literaturverzeichnis

Helen Adkins, „Nach der Dekadenz-Dämmerung ...". Ausstellungen in Berlin und Moskau zwischen 1922 und 1930, in: Eckhart Gillen und Ulrike Lorenz (Hg.): Konstruktion der Welt 1919–1939. Katalog zur *Ausstellung der Kunsthalle Mannheim*. Bielefeld 2018, S. 318-322.

L. S. Alešina und N. V. Javorskaja (Hg.), *Internacional´nye svjazi v oblasti izobrazitel´nogo iskusstva* [Internationale Kontakte im Bereich der Bildenden Kunst]. 1917–1940: Materialy i dokumenty [Materialien und Dokumente]. Moskva 1987.

Natalija Awtonomowa, Die Tür zum Westen, in: *Tretyakov Gallery Magazine* (Sonderausgabe „Deutschland - Russland. Perspektiven auf die Kunst- und Museumsszene"), Nr. 1, 2021 (70), S. 62–93.

Eva Bérard, The First Exhibition of Russian Art in Berlin: The Transnational Origins of Bolshevik Cultural Diplomacy, 1921–1922, in: B. Martin, E. Peller (Hg.), *Contemporary European History*. 2021. Vol. 30. Special Issue 2: European Cultural Diplomacy and the Twenty Years' Crisis, 1919–1939, S. 164–180.

Michail Dedinkin, Pervaja vseobščaja germanskaja chudožestvennaja vystavka 1924–1925 godov: iskusstvo nemeckogo avangarda i sovetskaja publika [Die Erste Allgemeine Deustche Kunstausstellung 1924–1925: Kunst der deutschen Avantgarde und die sowjetische Öffentlichkeit], in: *Iskusstvoznanie* [Kunstwissenschaft], 4/2021, S. 218–255.

V. Dul´skij, Kete Koll´vic [Käthe Kollwitz]. Kazan´ 1928.

Thomas Flierl, "Turmhoch über dem kurzsichtig leidenschaftlichen Parteikampf". Käthe Kollwitz, die „proletarische Kultur" und die Sowjetunion, in: Kathleen Krenzlin (Hg.), *Käthe Kollwitz und Berlin. Eine Spurensuche*. Herausgegeben im Auftrag des Bezirksamts Pankow von Berlin. Berlin 2017, S. 243–293.

Gudrun Fritsch, Käthe Kollwitz und Russland, Eine Wahlverwandtschaft. Leipzig 2012; Friedegund Weidemann »Ich grüße Sie aus vollem Herzen« – Käthe Kollwitz und Otto Nagel, in: Astrid Boettcher, Iris Berndt (Hg.), *Käthe Kollwitz und ihre Freunde. Katalog zur Sonderausstellung anlässlich des 150. Geburtstages von Käthe Kollwitz*. Berlin 2017.

GAChN, Otčet 1921–1925 [Bericht der GAChN für die Jahre 1921–1925]. Moskva 1926.

Matthias Heeke, Reisen zu den Sowjets. *Der ausländische Tourismus in Rußland* 1921–1941. Münster u. a. 2003.

Wolfgang Hütt (Hg.), *Hintergrund. Mit den Unzüchtigkeits- und Gotteslästerungsparagrafen des Strafgesetzbuches gegen Kunst und Künstler 1900–1933*. Berlin 1990.

N. V. Javorskaja, K istorii meždunarodnych svjazej Gosudarstvennogo muzeja novogo zapadnogo iskusstva [Zur Geschichte der internationalen Kontakte des Staatlichen Museums für neue westliche Kunst] (1922-1939), in: I. E. Danilova (Hg.): *Iz archiva GMII*. Vypusk 2 [Aus dem Archiv des GMII. Zweite Lieferung]. Moskva 1978.

Eric Johansson, Die Erste Allgemeine Deutsche Kunstausstellung in Moskau 1924, in: *Bildende Kunst*, 1 (1965), S. 660–662.

Kete Koll´vic 1867–1827. Vystavka gravjur. K 60-letiju chudožnicy [Ausstellung der Druckgrafik. Zum 60. Geburtstag der Künstlerin]. GMNZI. Moskva 1928.

Kete Koll´vic. Moskva (Vsekochudožnik) 1932.

Kul´turnaja žizn´ v SSSR [Kulturelles Leben in der UdSSR], 1917–1927: Chronika. T(om) [Band]. 1 Nauka [Wissenschaft]. 1975.

Anatoli Lunatscharski, Die Revolution und die Kunst. Dresden 1974.

Jelena Martschenko, Der Berliner Künstler Otto Nagel in Saratow, in: Staatliche Museen zu Berlin Preußischer Kulturbesitz. *Forschungen und Berichte*, Bd. 26 (1987), S. 305–312.

Otto Nagel, *Leben und Werk*. Berlin 1952.

Walli Nagel, Das darfst du nicht! Von Sankt Petersburg nach Berlin-Wedding. Erinnerungen. Berlin 2018.

P. V. Miturič, Zapiski surovogo realista epochi avangarda: Dnevniki, pis´ma, vospominanija, stat´i [Aufzeichnungen eines strengen Realisten im Zeitalter der Avantgarde: Tagebücher, Briefe, Erinnerungen, Aufsätze]. Moskva 1997.

Pervaja Vseobščaja Germanskaja chudožestvennaja vystavka [Erste Allgemeine Deutsche Kunstausstellung], Moskva, Leningrad 1924.

A. A. Sidorov, Kete Koll´vic. Moskva, Leningrad (Academia) 1931.

V. S´jedina, Kete Koll´vic. Moskva, Leningrad (OGIZ-IZOGIZ) 1931.

Sovetskoe iskusstvo za 15 let. Materialy i dokumentacija [Sowjetische Kunst der letzten 15 Jahre. Materialien und Dokumentation]. Moskva 1933.

Efim Vodonos, Vseobščaja meždunarodnaja vystavka germanskich chudožnikov v Saratove [Die Allgemeine internationale Ausstellung deutscher Künstler in Saratow] (1924), in: Gubernskaja vlast´ i slovesnost´: literatura i žurnalistika Saratova 1920-ch gg [Literatur und Macht im Gouvernement: Literatur und Journalismus im Saratow der 1920er Jahre]. Saratov 2003, S. 203-215.

Efim Vodonos, Očerki kul´turnoj žizni Saratova epochi „kul´turnogo vzryva" [Studien zum kulturellen Leben Saratovs in der Epoche der „kulturellen Explosion"]. 1918–1932. Saratov 2006.

Vseobščaja meždunarodnaja vystavka germanskich chudožnikov [Allgemeine internationale Ausstellung deutscher Künstler]. Saratov (Gublit) 1924.

Wem gehört die Welt – Kunst und Gesellschaft in der Weimarer Republik, Berlin 1977.

8 Stunden! Stellungnahme führender Künstler zum Achtstundentag. Publikation der Künstlerhilfe. Berlin (Neuer Deutscher Verlag) 1924.

Künstlerische Mappenwerke:

George Grosz: *Das Gesicht der herrschenden Klasse*. Berlin 1921.

George Grosz: *Ecce Homo*. Berlin 1922-23.

George Grosz: *Gott mit uns*. Berlin 1920.

George Grosz: *Lico kapitala* [Das Gesicht des Kapitals]. Moskau 1924.

Hunger. 7 Originallithografien. Gesamterlös für die Hungerhilfe. Hg. von der Künstlerhilfe. Otto Dix, George Grosz, Eric Johansson, Käthe Kollwitz, Otto Nagel, Karl Völker, Heinrich Zille für die Internationale Arbeiterhilfe, Berlin 1924.

Krieg. 7 Originallithografien. Gesamterlös für die Künstlerhilfe und die Kinderheime der I.A.H., Hg. von der Künstlerhilfe. Otto Dix, Georg Grosz, Otto Nagel, Käthe Kollwitz, Willibald Krain, Rudolf Schlichter, Heinrich Zille. Zum 10. Jahrestage des Kriegsbeginnes. Berlin (Neuer Deutscher Verlag) 1924.

119 Gemeint ist das lithographische Blatt *Wir schützen die Sowjetunion (Solidarität)*. Das Exemplar im Kupferstichkabinett des Staatlichen Puschkin-Museums für Bildende Künste, Moskau, trägt die handschriftliche Aufschrift, wohl von Kollwitz selbst: „My zaščiščaem Sovetskij Sojuz!" [Wir schützen die Sowjetunion].

120 Otto Nagel, in: Koll´vic (1932), S. 14.

121 Alešina, Javorskaja (Hg.), S. 170f.

122 Ebd., S. 251f.

123 Abk. für russ.: Meždunarodnoe bjuro revol´jucinnych chudožnikov [Internationales Büro revolutionärer Künstler].

124 Vystavka kartin zarubežnych revoljucionnch chudožnikov [Bilderausstellung ausländischer revolutionärer Künstler], in: Pravda, Nr. 77 vom 19.3.1935, S. 6.

Wochenmarkt am Wedding, um 1926,
Öl auf Leinwand,
81 x 62 cm
Akademie der Künste, Berlin, Kunstsammlung,
Otto Nagel, Inv.-Nr.: KS-Nagel MA 48

Rosa von der Schulenburg

Von Menschen und Orten. Otto Nagels Berlin-Bilder aus der NS-Zeit

Die einfachen Leute

Otto Nagels Gemälde vom Leben der einfachen Leute in Berlin zählen zu den herausragenden Bildwerken der Weimarer Republik. Im Wedding geboren und aufgewachsen, ist ihm das Leben in diesem bis heute einkommensschwachen Stadtbezirk ein naheliegendes Thema. Die Bilder des Autodidakten Nagel sind im besten Sinne einfach, wie es auch das Milieu ist, in dem er sich bewegt. Das Schlichte, Ungeschönte, gelegentlich Holzschnittartige der Gesichter, wie etwa beim *Anilinarbeiter*[1] (Abb. S. 94), erweist sich für ihn als ein probates Mittel, um etwas Wesentliches zu erfassen. In seinem von Empathie getragenen Interesse an der Lebenswelt der sogenannten kleinen Leute stimmt er mit dem Künstlerfreund Heinrich Zille überein. Gleichwohl unterscheiden sich beide in der Haltung und dem daraus resultierenden Stil der Bilder. Otto Nagel erzählt mit seinen Bildern keine Kiezgeschichten und erfreut nicht mit saftigen Anekdoten aus dem „Milieu". Volkstümlicher Humor oder satirische Karikatur sind seine Sache nicht. Genauso wenig kommentiert er mit Zeigegestus oder klagt an, wie die mit ihm ebenfalls im Geiste eng verbundene Käthe Kollwitz. Doch auch Nagel erweist sich als aufmerksamer Beobachter, ohne dabei in seinen Menschenbildern jemandem zu nahe zu treten. Selbst da, wo er dicht an die Menschen auf der Straße heranrückt, indem er sie etwa im engen Rechteck des Bildes zusammenpfercht, um das Gedränge des *Wochenmarkts am Wedding*[2] anschaulich zu machen, wirken die Gestalten vereinzelt, als sei jede für sich in ihrem Schicksal gefangen. Dies findet sich auch noch in späteren Jahren, etwa bei der um den Esstisch versammelten *Fischerfamilie auf Rügen*[3] (Abb. S. 99). Hier freilich sind die Gesichter nicht mehr markant holzschnittartig, sondern wie von einem verschattenden grauen Schleier überzogen, der die Runde der Essenden zu einer Schicksalsgemeinschaft verbindet.

Wir nehmen Otto Nagel zuerst und vor allem als einen Künstler der Weimarer Republik wahr. Als Kommunist und kritisch-realistischer Maler des Berliner Proletariats gerät er ab 1933, dem Jahr der Machtergreifung der Nationalsozialisten, in eine prekäre Lage. Doch auch zwischen 1933 und 1945 gelingt es ihm, sich einen künstlerischen Freiraum zu bewahren, in dem er die Nazizeit künstlerisch überdauern kann, ohne sich anzubiedern. Von 1933 bis Kriegsbeginn entstehen bemerkenswert viele Kinderbildnisse. Die meisten sind im Freien gemalte Pastelle auf braunem Papier, das Nagel auf einem Zeichenbrett befestigt hat. Nur wenige führt er in Öl auf Leinwand aus, wie das Porträt von *Rudi*[4] (Abb. S. 97), das in der Ausstellung zu sehen ist, oder das Bildnis von *Gerda*[5], einer kindlich wirkenden fünfzehnjährigen Prostituierten. In seiner kurzen Autobiografie Mein Leben von 1952 schildert er seine Situation und erwähnt, dass er 1933 nur wenige Bilder malt, darunter das *Sitzende Mädchen.*[6] Gerhard Pommeranz-Liedtke berichtet in der 1964 erschienenen Monografie Otto Nagel und Berlin, dass der Künstler nun seine Modelle auf den Straßen, in den Höfen oder Spielplätzen auflese. So sei er auch

Anmerkungen

1 1928, Öl auf Lwd., Inv.-Nr.: KS-Nagel MA 49. Die in der Ausstellung gezeigten wie auch die zu diesem Beitrag abgebildeten Werke Otto Nagels gehören zu dem von der Kunstsammlung der Akademie der Künste, Berlin, beherbergten Nachlassteil. Siehe außerdem das Werkverzeichnis (im Folgenden kurz: WZ): *Otto Nagel. Die Gemälde und Pastelle. Bearbeitet von Sibylle Schallenberg-Nagel und Götz Schallenberg.* Veröffentlichung der Akademie der Künste der Deutschen Demokratischen Republik und des Märkischen Museums. Berlin 1974, Nr. 120.

2 Um 1926, Öl auf Lwd., KS-Nagel MA 48. WZ (vgl. Anm. 1), Nr. 108.

3 1937, Öl auf Lwd., KS-Nagel MA 24, WZ (vgl. Anm. 1), Nr. 280.

4 Um 1939, Öl auf Pappe, KS-Nagel MA 53, WZ (vgl. Anm. 1) Nr. 373.

5 1933, Öl auf Lwd., KS-Nagel MA 50, WZ Nr. 168.

6 Otto Nagel, *Mein Leben. In: Otto Nagel. Leben und Werk. Berlin* (DDR) 1952, S. 17–45; hier S. 40. In dem von der Tochter Sybille Schallenberg-Nagel und ihrem Mann bearbeiteten Werkverzeichnis heißt es zu *Gerda*: „Auch: *Sitzendes Mädel; Arbeitermädel.* Bei der Dargestellten handelt es sich um eine fünfzehnjährige Prostituierte". Siehe Otto Nagel, WZ (vgl. Anm. 1), Nr. 168. Der Enkelin Salka Schallenberg sei für die Mail-Diskussion und wertvolle Hinweise, nicht nur zu *Gerda*, an dieser Stelle herzlich gedankt.

Gerda, 1933,
Öl auf Leinwand,
79 x 60 cm
Akademie der Künste, Berlin,
Kunstsammlung, Otto Nagel,
Inv.-Nr. KS-Nagel MA 50

auf Gerda gestoßen, „ein Mädchen im Pflanzgarten der gewerbsmäßigen Prostitution aufgewachsen, als Kind schon der Unzucht ausgehändigt und verfallen", und er zitiert ohne Nennung des Urhebers (vermutlich Otto Nagel): „‚fünfzehn Jahre und wusste alles über die Menschen und war lustig dabei'". Pommeranz-Liedtkes weitere, ausführliche Beschreibung des Mädchens und seine Einschätzung über sie – „wissende Katzenaugen [...] zusammengesackter Leib [...] ein Wrack schon" – irritiert, im Unterschied zu seiner Beurteilung von Nagels Porträt: „Es wird eines seiner eindrucksvollsten Bildnisse." [7] Die Beschreibung in Erich Frommholds Otto-Nagel-Monografie, die dieser in engem Kontakt zur Witwe Walentina Nagel verfasste, hat einen völlig anderen Ton: „Dieses ‚gefallene' fünfzehnjährige Mädchen – so weist es die Erzählung über das Modell aus – ist für Nagel gewissermaßen gegen die Umstände ein reines Kind geblieben, und darum ist auch ein wahrhaft großartiges Kinderbild entstanden." [8] Dieses Gemälde ist viele Jahre im Besitz der Witwe Walli Nagel, die es dem Otto-Nagel-Haus nach dessen Gründung als Dauerleihgabe überlässt.

Was aus dem Mädchen später wird, mag man erahnen, wenn man in das Gesicht Gerdas blickt, das der Künstler etwa vier Jahre später mit Pastellkreiden festhält. Das um 1937 entstandene *Mädchenbildnis Gerda* [9], nun mit kurzen Zöpfen, zeigt nichts kindlich Offenes mehr. Die Lippenstellung verleiht dem im Dreiviertelprofil gezeigten Gesicht einen leicht verzogenen, etwas dissonanten und unfrohen Ausdruck. Dieser Ausdruck findet sich auch in einer Zeichnung Nagels mit dem Titel *Bildnis eines lesenden Mädchens* [10], das wohl etwa zeitgleich entstand. Gerda kann (und darf hier) lesen. Freilich nicht in bequemer sitzender Stellung, sondern stehend ein großes Buch mit beiden Händen haltend, gleich einem Schulkind, das aufgerufen ist, vor der Klasse vorzulesen. Den Blick hat sie auf das aufgeschlagene Buch gerichtet, die Lippen aber bleiben verschlossen.

Nagels Modelle sind Menschen, die wie er selbst in prekären Verhältnissen leben oder – um in der Terminologie jener Zeit zu bleiben – dem proletarischen Milieu angehören. Im Akt des Zeichnens und Malens würdigt er die Bedeutung, die ein jedes Leben, auch das einer Gerda, hat. Frei von Romantik oder anderweitiger Überhöhung setzt

7 Gerhard Pommeranz-Liedtke, *Otto Nagel und Berlin*, Dresden 1964, S. 68.

8 Erhard Frommhold, *Otto Nagel. Zeit, Leben, Werk.* Mit einem Vorwort von Walli Nagel, autobiographischen Zeugnissen und ausgewählten Aufsätzen des Künstlers. Berlin: Henschel, 1974, S. 159 (zgl. als Diss. Pädagogische Hochschule Dresden 1977).

9 Um 1937, Pastell, KS-Nagel HZ 1036, WZ (vgl. Anm. 1), Nr. 326.

10 Um 1937, Kreidezeichnung, KS-Nagel HZ 1030 (verso: Skizze mit einer kleinen Kindergruppe, darunter Gerda lesend, und ein sitzender Mann von hinten gesehen, der die drei, der Armhaltung nach, zeichnet).

11 Siehe hierzu Salka-Valka Schallenberg, *Otto Nagel. Der Künstler – und sein Vermächtnis. In: Enteignet, entzogen, verkauft. Zur Aufarbeitung der Kulturgutverluste in SBZ und DDR*, hg. von Mathias Deinert, Uwe Hartmann, Gilbert Lupfer. Berlin 2022, S. 261–271 (= Provenire, Schriftenreihe des Deutschen Zentrum Kulturgutverluste, Bd. 3) sowie den Beitrag des auf Kunstrecht spezialisierten Rechtsanwalts Ulf Bischof, *Der Nachlass des Malers Otto Nagel. Von teuren Genossen und enttäuschten Hoffnungen. In: Spurensicherung. Die Geschichte(n) hinter den Werken*, hg. vom Archiv der Akademie der Künste. Berlin 2022 (im Druck).

er ihnen gerade im Akt der aufmerksamen Zuwendung und künstlerischen Anverwandlung ganz unprätentiös ein Denkmal.
Die Gerda-Bildnisse gehören zu dem großen Nachlassteil, der 1985 als Schenkung an die Akademie der Künste der DDR gelangt. Die Kunstsammlung der heutigen Akademie darf sich glücklich schätzen, von Otto Nagel 24 Gemälde, 50 Pastelle, über 200 Zeichnungen und einige Grafiken aus den 1920er bis 1960er Jahren zu besitzen. Die wichtigsten Werke kommen als Schenkung der Tochter Sibylle Schallenberg in die Sammlung. Diese ist nach dem Tod ihrer Mutter (1983) mit einer Forderung auf Zahlung von 2,5 Mio. DDR-Mark Erbschafts- und Vermögensteuer konfrontiert, der sie nur entgehen kann, indem sie auf einen großen Teil des künstlerischen Erbes von Otto Nagel verzichtet.[11] Die heutige Akademie der Künste – die 1993 nach einem schwierigen Prozess der Vereinigung der Ost- und der Westakademie entstand und eine internationale Mitgliedergemeinschaft von Künstlerinnen und Künstlern aller künstlerischen Sparten ist – beherbergt das bedeutendste interdisziplinäre Archiv zur Kunst und Kultur der Moderne im deutschen Sprachraum. Hierzu gehört auch die Kunstsammlung. In den folgenden Jahrzehnten wurden immer wieder Arbeiten und Archivmaterial von der Erbin Sibylle Schallenberg und ihrem Mann aus dem ihnen verbliebenen Nachlass erworben.

Mädchenbildnis Gerda, um 1937, Pastell, 59,8 x 46,7 cm
Akademie der Künste, Berlin, Kunstsammlung, Otto Nagel, Inv.-Nr.: KS-Nagel HZ 1036

Die Stadtlandschaft

Das Berlin in den Bildern von Otto Nagel ist nicht das der glänzenden Metropole mit der geschäftigen Friedrichstraße oder dem breiten Boulevard Unter den Linden. Nagel ist der Maler eines Berlins, das es so nur noch an wenigen Stellen gibt und das für die Stadt damals atmosphärisch genauso prägend ist wie ihre großen Flanier-, Einkaufs- und Vergnügungsmeilen. Hierzu gehört etwa die Altberliner Gaststätte „Zum Nußbaum", von der Nagel 1940/1941 insgesamt vier leicht variierende Ansichten malt (zwei davon verschollen) und um 1954 eine *Replik*[12] anfertigt (Abb. S. 108). Das spätmittelalterliche, in Alt-Kölln in der Fischerstraße 21 gelegene Gebäude wird im Zweiten Weltkrieg bei einem alliierten Bombenangriff stark beschädigt. In den 1980er Jahren rekonstruiert man anlässlich der 750-Jahr-Feier Berlins das Nikolaiviertel und lässt hier das einst im „Fischerkietz" (so die alte Schreibweise) gelegene Haus mit der legendären Schänke (inkl. Nuss-

12 Blick auf das Gasthaus *„Nußbaum"*, um 1954, Pastell, KS-Nagel MA 77, WZ (vgl. Anm. 1), Nr. 615. Vgl. WZ, Nr. 407 und 408, Nr. 469 und 470.

13 *Abschied vom Fischerkiez IV*, 1965, Pastell, KS-Nagel MA 30, WZ (vgl. Anm. 1), Nr. 631. Vgl. WZ, Nr. 628–630.

14 Otto Nagel, 1952, S. 40 (vgl. Anm. 6).

15 Ebd., S. 41.

16 Dieses Kapitel ist die erweiterte Fassung des gleichnamigen Kapitels in meinem Beitrag: *Otto Nagel. Anmerkungen zu Leben und Werk. In: Otto Nagel (1894-1967). Orte – Menschen. Ölbilder und Pastelle aus der Kunstsammlung der Akademie der Künste, Berlin.* Katalog zur gleichnamigen Ausstellung, hrsg. von Rosa von der Schulenburg im Auftrag der Akademie der Künste. Berlin 2012, S. 14-18 (S. 15/16 spez. zum Malverbot und zur nachweislichen Länge des KZ-Aufthaltes von Nagels). Der vorliegende Beitrag beruht auf weiteren Archivrecherchen. Siehe zum Thema desweiteren Michael Krejsa, Otto Nagel – ein nüchterer Blick auf seine innere Emigration (1933-1945) hier im Katalog, von dem ich kurz vor Drucklegung Kenntnis erhielt.

17 WZ (vgl. Anm. 1)

baum-Pflanzung) wiederauferstehen. Nicht mehr existent – weniger durch Kriegsbomben, sondern erst im Zuge des sogenannten Wiederaufbaus zerstört – ist der Fischerkiez, der ab 1964 bis 1973 fast komplett abgerissen wird, um Platz für sozialistische Vorzeigehochhäuser zu schaffen. Mehr als die Hälfte der niedrigen Häuser auf dieser ca. acht Hektar großen, kleinparzelligen und dicht bevölkerten Südspitze der Spreeinsel wären noch reparabel gewesen, passen aber nicht ins neue Weltbild. Von dem alten Stadtviertel, das im Zuge der „sozialistischen Umgestaltung" in Fischerinsel umbenannt wird, nimmt Otto Nagel 1965 mit einer Serie von Pastellen Abschied (Abb. S. 111).[13]

Nagel berichtet in seiner Autobiografie in Bezug auf die Zeit der NS-Herrschaft: „Hunderte von Pastellen entstanden in den Straßen, auf den Plätzen, auf den Höfen der Berliner Arbeiterbezirke."[14] Dies sind zu Anfang vor allem Bilder von Menschen. Als die Bombardierung Berlins im August 1940 beginnt, ist er sich sicher, dass „die Stadt ein Trümmerfeld werden würde". Bis zu seinem Aufbruch mit seiner hochschwangeren Frau 1943 nach Forst in der Lausitz malt er „hundert und aberhundert Bilder, vor allem Pastelle, aber auch Arbeiten in Öl [...]; Bilder aus Nordberlin und besonders aus der alten Innenstadt"[15]. Malend sucht er dauerhaft zu bewahren, was ihm am Herzen liegt und was verloren zu gehen droht: seine Heimat, das alte Berlin der Vorkriegszeit.

Innere Emigration?[16]

Studiert man das von seiner Tochter Sibylle und dem Schwiegersohn Götz Schallenberg bearbeitete Werkverzeichnis der Ölgemälde und Pastelle, 1974 von der Akademie der Künste und dem Märkischen Museum veröffentlicht,[17] so wird deutlich, dass die meisten überlieferten Werke Otto Nagels – mehr als 400 von rund 650, also fast zwei Drittel des malerischen Gesamtwerks – aus der NS-Zeit stammen. Das ist umso bemerkenswerter, als ein wohl nicht unerheblicher Teil des bis 1945 geschaffenen Werks im Krieg vernichtet wurde oder verloren ging. Dass ein als Kommunist politisch gefährdeter Künstler ein solch umfangreiches Werk in dieser Zeit schaffen kann, ist gewiss eine beachtliche Leistung und einer näheren Betrachtung wert. Bisher wird in der Literatur zu Otto Nagel nicht weiter darauf eingegangen, dass das – zumindest quantitative – Hauptwerk des Malers in der Zeit des Nationalsozialismus entsteht. Es mag nicht so recht ins Bild eines antifaschistischen Künstlers passen, dass dieser ausgerechnet während der NS-Zeit seine produktivste Phase hat. Wie es ihm möglich ist, trotz Gefährdung in den Straßen Berlins ein so umfangreiches malerisches Œuvre mit hunderten von Pastellen und Ölbildern von Menschen und Orten zu schaffen und auch Ausstellungen zu organisieren,[18] war bisher nicht eingehender erforscht. Erhard Frommhold meint in seiner 1974 erschienenen, vielgelobten Dissertation über Zeit, Leben und Werk des Künstlers: „Nagels Malerei wird zum Hochverrat erklärt."[19] Was dies aber konkret bedeutet, bleibt im Ungefähren. Nagel sei schikaniert und verhaftet, ins KZ Sachsenhausen eingeliefert, und Arbeiten von ihm seien als „entartet" beschlagnahmt worden. Konkret nennt Frommhold ein Gemälde.[20] Paul Ortwin Rave, der Erste, der sich in der Nachkriegszeit mit der Aktion „Entartete Kunst" seriös befasst, gibt die Zahl der als „entartet" beschlagnahmten Werke Nagels mit 27 an.[21] Rave listet leider nur Nachnamen auf, so dass es sich u. U. nicht bei allen 27 um Werke von Otto Nagel handelt. In seinen beiden Verzeichnissen der 1937 im Rahmen der Aktion in Berlin und in München beschlagnahmten Kunstwerke werden die Künstler auch mit Vornamen genannt. Hier finden sich jeweils ein Erich Nagel und kein Otto Nagel.[22] Rave standen noch die vollständigen Inventare des Reichsministeriums für Volksaufklärung und Propaganda zur Verfügung; im Zentralen Staatsarchiv Potsdam findet sich inzwischen nur mehr das (nach Städten geordnete) In-

18 Ausstellung in Amsterdam, Den Haag 1934, Atelierausstellungen 1935, 1940. Siehe *Otto Nagel. Leben und Werk. Bild-Text-Dokumentation. In: Otto Nagel. Leben und Werk.* 1894–1967, Ausstellungskatalog hg. vom Ludwig-Institut für Kunst der DDR. Oberhausen 1987, S. 37–68, hier: S. 58ff.

19 Erhard Frommhold 1974 (vgl. Anm. 8), S. 152.

20 Ebd., S. 153.

21 Vgl. Paul Ortwin Rave, *Kunstdiktatur im Dritten Reich.* Hamburg 1949, S. 88.

22 Ebd., S. 83 sowie S. 80, mit Fragezeichen (von Otto Nagel kann das Sujet *Aus dem Sauerland* jedoch nicht sein). Erich Nagel (1908–1971), über den nur wenig via Internet oder analoge Suchmittel zu erfahren ist, war ein deutsch-jüdischer Maler, der vermutlich in Berlin lebte, zur NS-Zeit nach Schweden emigrierte und dort den Namen Eric Larsgard annahm.

23 Christoph Zuschlag, *„Entartete Kunst". Ausstellungsstrategien im Nazi-Deutschland.* Worms 1995, zugleich überarb. Fassung der Diss. Uni Heidelberg 1991, S. 349 (Heidelberger Kunstgeschichtliche Abhandlungen, Neue Folge, 21).

24 Beschlagnahme-Inventar „Entartete Kunst" http://emuseum.campus.fu-berlin.de/eMuseumPlus, erstellt von der Forschungsstelle „Entartete Kunst", FU Berlin (Stand: 2.8.2022).

ventar bis zum Buchstaben G[23]. In dem online zugänglichen Gesamtverzeichnis der 1937 in deutschen Museen beschlagnahmten Werke der Aktion „Entartete Kunst" an der Freien Universität Berlin[24] werden zwei Werke Otto Nagels aus dem Besitz der Stadt Berlin (ohne genauere Angabe) gelistet und eines, das im Museum für Kunst und Kunstgewerbe in Stettin beschlagnahmt wurde.[25]

In der seit den 1980er Jahren entstandenen Literatur zu Nagels Werk heißt es in den biografischen Angaben zum Künstler, er habe 1934 mit einem offiziellen Schreiben ein Malverbot für sein Atelier erhalten. Nagel selbst erwähnt in seiner Autobiografie von 1952 ein solches Schreiben nicht. Erst die Witwe Walli Nagel berichtet in ihren unter dem Titel *Das darfst du nicht!* 1981 erschienenen Erinnerungen: „1934 hatte Otto Nagel das offizielle Schreiben erhalten mit dem Verbot, weiterhin in seinem Atelier zu malen."[26] Sein erstes eigenes Atelier hatte er 1935 nach dem Umzug in die Badstraße im Wedding.[27] Verwunderlich ist, dass auch Experten für die in der NS-Zeit verfolgte und verfemte Kunst, wie Andreas Hüneke und Christoph Zuschlag, ein lediglich auf das Atelier beschränktes Malverbot nicht kennen. Ein solches Verbot erscheint, selbst für die oft widersprüchliche NS-Logik, als absurd. Wieso sollte man im stillen Kämmerlein nicht malen dürfen, an allen anderen Orten, somit auch in der Öffentlichkeit – so die indirekte Schlussfolgerung – aber schon? Der Brief ist weder im Otto-Nagel-Archiv der Akademie der Künste überliefert, noch wird er irgendwo im Wortlaut zitiert. Da Nagel, wie seine großen Vorbilder Heinrich Zille und Hans Baluschek, bereits in den 1920er Jahren „ständig unterwegs [ist] und [s]eine Studien draußen vor der Natur, in den Parkanlagen, in den Straßen, überall, wo es etwas zu sehen gab, das [ihn] anging"[28] betreibt, dürfte ihn ein solch eingeschränktes Verbot auch nicht wirklich getroffen haben. Nagel selbst berichtet von Hausdurchsuchungen, nicht aber von konkreten Beschlagnahmungen oder Zerstörungen seiner Bilder. In ihrer Autobiografie schildert Walli Nagel hingegen plastisch, dass bei einer großen, einschüchternden Durchsuchung der Wohnung nach Parteibüchern und illegalem politischen Material Bilder mutwillig zerstört und drei, darunter der Jungkommunist, beschlagnahmt wurden. Durch Verhandlungsgeschick sei es ihr gelungen, diese wenig später wieder zurückbekommen. Ihr Mann habe sich gewundert, wieso ausgerechnet diese drei Werke beschlagnahmt worden seien, worauf sie geantwortet habe: „Na, vielleicht wollten sie diese politisch gegen dich verwenden, die anderen waren nicht so wichtig."[29]

Nagel berichtet, dass er aus der Reichskammer der Bildenden Künste ausgeschlossen worden sei. [30] Das kam im Prinzip einem Berufsverbot gleich, weil er mit dem Verkauf seiner Kunst offiziell kein Geld mehr verdienen durfte. Beim Aufbau der Reichskammer war es offenbar durchaus üblich, die bereits existierenden Künstlerverbände in diese NS-Organisation zu integrieren, um alle Kulturschaffenden des Landes zu erfassen. Erst dann wurde gesichtet und die nicht Genehmen wurden ausgeschlossen. Um ausgeschlossen zu werden, musste man also nicht unbedingt erst die Aufnahme bei diesem NS-Organ beantragt und einen Fragebogen ausgefüllt haben, das heißt Fragen nach der Partei- und Religionszugehörigkeit akzeptieren sowie die, wie viele „arische" Großeltern man selbst und der Ehepartner habe.

Zweifelsohne ist Nagel als **Kommunist** während der NS-Herrschaft sehr gefährdet. Ist er dies aber auch als **Künstler**? Tatsache ist, dass er sich die Freiheit des Malens im öffentlichen Raum nimmt, aber als Künstler kein Geld verdienen kann. Zuerst lebt er, wie er in seiner Autobiografie freimütig berichtet, vom Ersparten, dann zweieinhalb Jahre von Arbeitslosengeld und schließlich vom Verdienst seiner Ehefrau.[32]

Zeichnend und malend ist Nagel freilich ausgesprochen produktiv, wie er selbst auch in seinen autobiografischen Texten betont, und er

25 Hier ohne nähere Angaben. Es dürfte sich um die in der Bild-Text-Dokumentation im Oberhausener Katalog (vgl. Anm. 17) S. 59 aufgeführten beiden Berliner Erwerbungen *Meine Mutter im Altersheim* und *Arbeiternachweis* sowie um das *Arbeiterbrautpaar* aus dem Besitz des Städtischen Museums Stettin handeln.

26 Walli Nagel, *Das darfst du nicht. Von Sankt Petersburg nach Berlin-Wedding*. Erinnerungen. Berlin 2018, S. 152.

27 Ebd., S. 160.

28 Otto Nagel, 1952 (vgl. Anm. 6), S. 37.

29 Walli Nagel, 2018 (vgl. Anm. 26), S. 128–132, zit. S. 131.

30 Otto Nagel, 1952 (vgl. Anm. 6), S. 40. Im Bundesarchiv ließen sich in den personenbezogen erschlossenen Sammlungen und Beständen, einschließlich Reichskulturkammer-Akten und -Karteien zu Otto Nagel sowie im Bestand R 55 Reichsministerium für Volksaufklärung und Propaganda, keine Unterlagen über Nagel und eine mögliche Mitgliedschaft ermitteln (ich danke der zuständigen Sachbearbeiterin Kristin Hartisch). Ein explizites Berufsverbot ist – so die freundliche Auskunft Christoph Zuschlags – nur für Nolde, Schmidt-Rottluff und Edwin Scharff durch entsprechende offizielle Schreiben belegt.

31 Für die freundliche Auskunft danke ich Nina Kubowitsch, die ihre Doktorarbeit über die Reichskammer der Bildenden Künste schreibt und dafür im Berliner Landes-

ist dabei sichtbar. Kann es sein, dass jemand, vielleicht ein NS-Parteimitglied und dennoch Freund von Nagels Malerei seine schützende Hand über ihn hielt? Im Otto-Nagel-Archiv findet sich ein interessantes Verzeichnis von 1946 mit dem Eintrag: „Pommeranz-Liedtke, Gerhard, 12.12.1909, Mewe Westpreußen, NS-Politiker und -Funktionär",[33] und in den Digitalen Sammlungen der Sächsischen Landesbibliothek – Staats- und Universitätsbibliothek Dresden ist im Spezialkatalog zum Nachlass Gerhard Pommeranz-Liedtke - Mscr.Dresd. App.2392 ein kurzer Lebenslauf enthalten, der weitere Aufschlüsse gibt.[34] Pommeranz-Liedtke war 1931 in Leipzig Meisterschüler bei Willi Geiger, [35] anschließend freischaffend in Berlin tätig, ab 1934 zudem Referent für Presse und Propaganda im Kolonialpolitischen Amt der NSDAP. Er könnte m. E. durchaus sein, dass er bereits in den 1930er Jahren Nagel persönlich kannte und seine Kunst schätzte.[36]

Wegen seiner Mitwirkung in Widerstandsgruppen und illegalen Zellen kommt Otto Nagel nachweislich zweimal in Haft. Die Kunsthistorikerin Beate Marks-Hanßen hat zur Frage der Inneren Emigration in der NS-Zeit nicht nur die Akten des Reichssicherheitshauptamtes im Bundesarchiv Lichterfelde gesichtet, sondern auch nach Informationen im Bestand des ZK der SED gesucht und Nagels Kaderakte ausgewertet.[37] Zweifel an der Zuverlässigkeit und Genauigkeit einiger Angaben Otto Nagels im Fragebogen des ZK der SED vom 7.8.1954 darf man laut Marks-Hanßen haben. Auch einer der Bibliografen Nagels, Ralf Forster, der im Auftrag der Tochter und des Schwiegersohns Götz Schallenberg an der 2000 erschienen Bibliografie mitwirkte, äußert gegenüber Hanßen, dass „in einem SED-Fragebogen Vieles erfunden sein könne."[38] Schutzbehauptungen kennt man auch aus den Akten anderer Kommunisten der ersten Stunde, wie etwa John Heartfield.[39] In einem autobiografischen Fragment, das sich im Archiv der Akademie der Künste befindet, fasst Nagel die Zeit wie folgt zusammen: „1933 künstlerische und politische Ausschliessung. Ausschluss Reichsverband Bildender Künstler Deutschlands. Viel Haussuchungen [sic]. Vorübergehende Verhaftungen. 1934–36 lebte ich von Arbeitslosenunterstützung. Ich erteilte unerlaubt Unterricht an Arbeiter und Kunstinteressierte. 1937 erneute Verhaftung anschliessend Überführung ins Konzentrationslager Sachsenhausen. Nach einigen Monaten Entlassung wegen schlechtem Gesundheitszustand."[40] In der 1952 veröffentlichten autobiografischen Erinnerung bleibt er eher vage, wie auch in den weiteren als Typoskripte im Archiv überlieferten Autobiografie-Fragmenten.

Keine Zweifel bestehen, dass Nagel bei einer großen „Kommunisten-Verhaftungswelle am 16.4.1937" in „Schutzhaft" genommen, im KZ Sachsenhausen inhaftiert und vier Tage später – und nicht erst nach einigen Monaten, wie Otto Nagel schreibt, an „Führers Geburtstag", aus gesundheitlichen Gründen entlassen und unter Polizeiaufsicht gestellt wird.[41] 1941 wird Nagel erneut verhaftet und in der Prinz-Albrecht-Straße von der Gestapo verhört, wobei er – wie Frommhold kolportiert – seine „‚Harmlosigkeit als Häusermaler' eindrucksvoll beteuern kann und entlassen wird".[42] Vom Kriegsdienst wird er vermutlich aus gesundheitlichen Gründen freigestellt. Welcher psychischen Belastung er als Künstler in der NS-Zeit ausgesetzt war, macht Otto Nagel in einem ausführlichen Lebenslauf deutlich, den er am 3. Februar 1950 für seinen Antrag auf Anerkennung als Opfer des Nazi-Regimes verfasste: „Die mir in der Nazizeit zugefügten Schäden sind bei mir nicht so sehr auf meinen Aufenthalt im KZ Sachsenhausen zurückzuführen, sondern vor allem in der Diffamierung als sozialistischer Künstler. Hier habe ich Schläge bekommen, die erheblich sind. Ich bin dadurch nicht nur wirtschaftlichen Dingen ausgesetzt gewesen, sondern als Künstlerpersönlichkeit auch menschlich so stark betroffen worden, dass ich wohl mein Leben lang darunter leiden werde."[43]

archiv geforscht hat. Siehe auch: *Nina Kubowitsch, Die Reichskammer der bildenden Künste. Grenzsetzungen in der künstlerischen Freiheit. In: Kunst im NS-Staat. Ideologie, Ästhetik, Protagonisten*, hg. von Wolfgang Benz, Peter Eckel, Andreas Nachama, Berlin 2015, S. 77–96.

32 Otto Nagel, 1952 (vgl. Anm. 6), S. 40.

33 Nagel-Otto 260: *Verzeichnis der auszusondernden Literatur. Nur für den Dienstgebrauch*, hg. von der Abt. für Volksbildung im Magistrat der Stadt Berlin unter beratender Mitarbeit der Kammer der Kunstschaffenden und des Kulturbundes zur demokratischen Erneuerung Deutschlands. Februar 1946, S. 60. Ich danke Eckhart Gillen für den Hinweis.

34 Siehe https://digital.slub-dresden.de/werkansicht/dlf/23402/2, zuletzt am 23.08.2022.

35 1933 wurde Geiger aus seinem Lehramt an der Leipziger Staatlichen Akademie für graphische Künste und Buchgewerbe entlassen und war bei der Aktion „Entartete Kunst" 1937 nachweislich mit zahlreichen Bildern vertreten.

36 Freilich finden sich in seinem Schriftarchiv erst ab 1963, zum Buch „Otto Nagel und Berlin" Manuskripte zu Nagel (siehe https://digital.slub-dresden.de/werkansicht/dlf/23402/16, zuletzt am 23.08.2022). Nach Einschätzung von Salka Schallenberg, die als Journalistin und Familienangehörige zum Erbe Otto Nagels forscht, ist eine Bekanntschaft beider zur NS-Zeit eher unwahrscheinlich, weil frühe Manuskripte in der

Das Themenspektrum seiner Kunst verschiebt sich während der NS-Zeit etwas, und auch sein Malstil verändert sich. Der Verismus vieler seiner Bilder aus der Weimarer Zeit weicht in den 1930er und 1940er Jahren einem gemäßigt modernistischen, eher atmosphärisch zeitlosen Realismus, der wenig Gefahr läuft, als „entartet" denunziert zu werden. Gleichwohl ist und bleibt Nagel ein realistischer Maler, ein fein sensorischer Betrachter von Menschen und Orten. Wenn er sie nicht einzeln in den Blick nimmt und porträtiert, sind die Menschen in seinen Bildern zumeist anonyme Gestalten, ohne besondere Charakteristika. Die Orte im Wedding, in Spandau oder Berlin-Mitte, im Fischerdorf Vitt auf Rügen, im Spreewald oder in Tirol, im Riesengebirge oder in Forst in der Lausitz sind ebenfalls weder laut noch bunt, sondern in sanften Pastelltönen oder in gedeckter Ölfarbigkeit gleichsam melancholisch gefärbt. Die atmosphärische Tönung der Bilder verdeckt jedoch nicht ihre topografischen Charakteristika. Weder kann man Nagel vorwerfen, dass er sich anbiedert, noch behaupten, dass er bewusst Camouflage betreibt. Gleichwohl passt er sich den Umständen der NS-Zeit an und erhält sogar mindestens eine Besprechung in der Presse sowie einen Hinweis auf eine Atelierausstellung.[44]

Erhard Frommhold merkt in seiner Nagel-Monografie kritisch an: „Aber für einen Künstler vom Range Otto Nagels und mit seinem gesellschaftlichen Engagement bleibt es sonderbar, dass sich im ganzen Werk dieser Jahre keine politische Allegorie, keine geheime direkte propagandistische Aussage findet."[45] Im Weiteren sucht Frommhold diese kritische Bemerkung wieder etwas zu entkräften: Die Kritik stößt freilich von vornherein ins Leere, denn Otto Nagel ist nie ein geschulter Propagandist und Bildrhetoriker gewesen. Das bildrhetorische Repertoire, das andere großen Realisten seiner Zeit, wie Grosz oder Kollwitz, zum Einsatz bringen, ist Otto Nagel fremd. Fremd ist ihm jedoch nicht die existenzielle Befindlichkeit der Menschen in seiner Umgebung. In der Formgestaltung und im Farbspektrum seiner unprätentiösen Bilder findet eine spezifische soziale Erfahrung ihren Niederschlag. Zum künstlerischen Widerstandskämpfer lässt er sich nicht stilisieren. Vielmehr erscheint er aus historischem Abstand als ein Künstler mit einer großen Sehnsucht nach der Heimat, die ihm von den Nazis immer mehr entzogen wurde. Sein durchaus romantische Züge tragender Realismus ist legitimer Selbstschutz.

In Nagels Bildern ist die Großstadt Berlin eine Stadtlandschaft mit viel Leerraum, mit Bäumen und Passanten, auch mit arbeitenden Menschen und tobenden Kindern, aber fast ohne städtischen Straßenverkehr. Es finden sich eher Pferdefuhrwerke als Kraftfahrzeuge und Bahnen. In Anbetracht dessen, dass die geradezu ländlich wirkenden Seiten Berlins in jenen Jahren seine Bildwerke dominieren, mag man an das Bonmot von Otto Dix denken, der sich in der NS-Zeit an den Bodensee zurückgezogen hat. Sein künstlerisches Schaffen kommentiert er später lakonisch: „Ich habe Landschaften gemalt – das war doch Emigration."[46] Mitten in NS-Deutschland ist auch Otto Nagel ein Vertriebener, dem die Kunst zum Rettungsanker in morastig trüben Zeiten wird. Otto Nagel gehört nicht auf das Heldenpodest des antifaschistischen Widerstandskünstlers. Auf dem Boden der Tatsachen macht er eine bessere, eine sehr menschliche Figur. ■

umfänglichen Liste seiner kunsthistorischen Publikationen in diesem Online-Katalog fehlen. Mich überrascht es jedoch nicht, dass sich keine frühen schriftlichen Zeugnisse finden. Sämtliche Manuskripte, die hier gelistet werden, stammen aus der Nachkriegszeit. Ein weiteres Gegenargument wäre, dass für einen jungen NS-Funktionär eine Besprechung der Werke eines Kommunisten wenig opportun gewesen wäre.

37 Beate Marks-Hanßen, *Innere Emigration? „Verfemte" Künstlerinnen und Künstler in der Zeit des Nationalsozialismus.* Berlin: Dissertation.de, 2006, S. 231f., zugleich Diss. Uni Trier 2003.

38 Ebd., S. 230, Anm. 570.

39 Siehe den Beitrag von Michael Krejsa *„Wo ist Heartfield"* mit kommentiertem Abdruck eines Befragungsprotokolls der Zentralen Parteikommission (ZPKK) vom 18.11.1950. In: Kunstdokumentation. SBZ/DDR 1945–1990. *Aufsätze, Berichte, Materialien,* hg. von Günter Feist, Eckhart Gillen, Beatrice Vierneisel. Köln 1996, S. 110–126, hier S. 116–125.

40 Lebenslauf von eigener Hand, März 1947, Bl. 2, AdK, Berlin, Otto-Nagel-Archiv, Signatur: Nagel-Otto 395

41 Beate Marks-Hanßen 2006, (vgl. Anm. 37), S. 231f. In dem im Bundesarchiv überlieferten Aktenbestand R 58/2204, Bl 520 findet sich der Vermerk. „Die in Schutzhaft genommenen und unter laufender Nummer 114 und Nr. 133 in den Tagesrapporten vom 16. und 17.4.1937 Nr. 14 und und 15 ausgeschriebenen Harry Robert und Otto Nagel sind aus dem Lager Sachsenhausen zurückgeholt und nach Einziehung der Schutzhaftbefehle wieder entlassen worden."

42 Erhard Frommhold 1974 (vgl. Anm. 8), S. 171.

43 „Lebenslauf Otto Nagel", Typoskript, von Otto Nagel unterschrieben, 3 Bll. Mit diesem Zitat endet der Lebenslauf. Ich danke der Enkelin Salka Schallenberg, die eine Kopie des Schreibens besitzt, für diesen Hinweis.

44 Siehe BZ am Mittag, 12.1.1934 sowie Paul Friedrich, Ausstellungen im Frühjahr, in: Berliner Börsen-Zeitung, 16.3.1935.

45 Erhard Frommhold 1974 (vgl. Anm. 8), S. 158.

46 Dietrich Schubert, *„Ich habe Landschaften gemalt – das war doch Emigration". Zur Lage von Otto Dix und zur politischen Metaphorik in seinem Schaffen 1933–1937.* In: *DIX. Ausst. Kat.* Galerie der Stadt Stuttgart 1991. Stuttgart 1991, S. 273–282, S. 275.

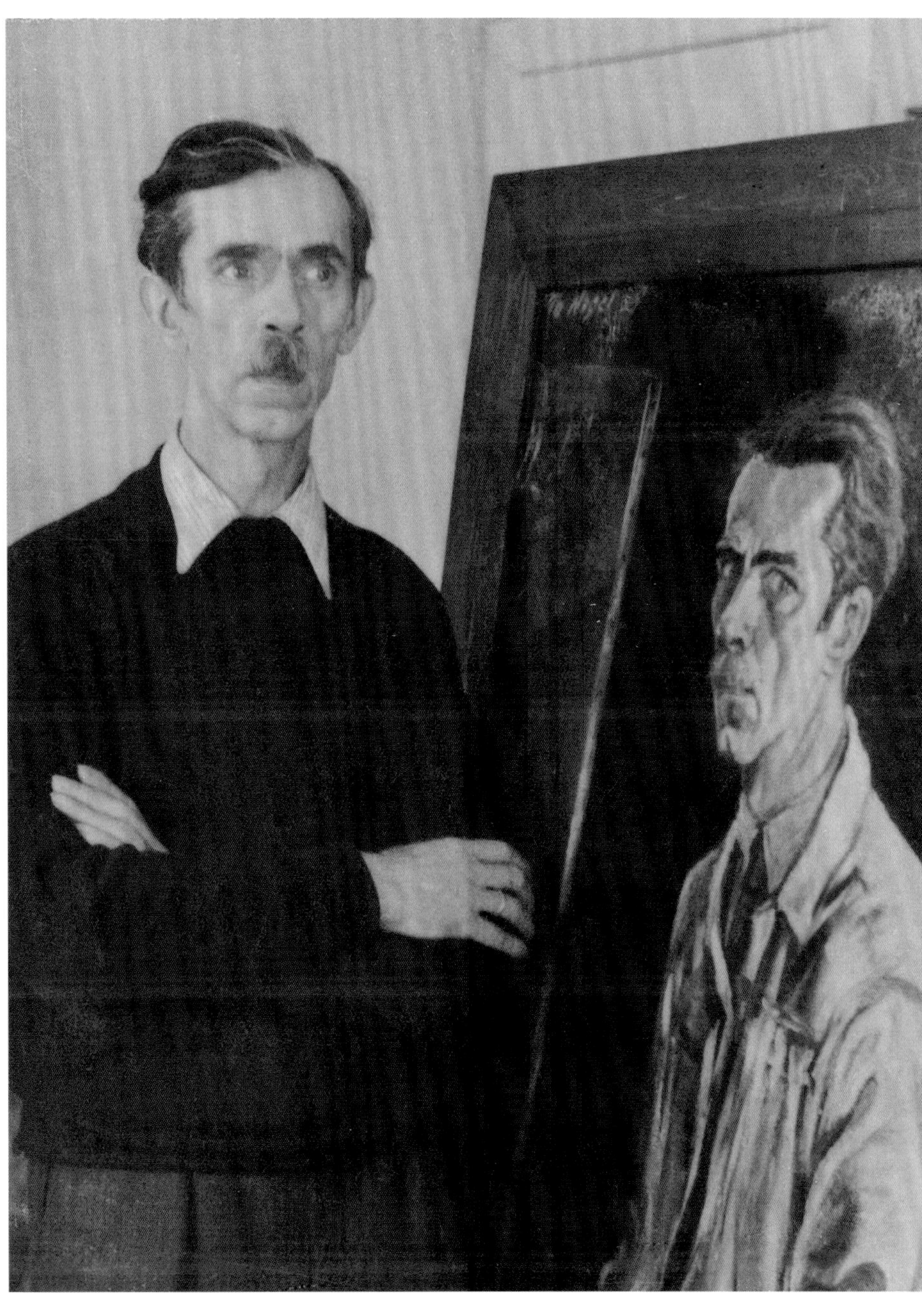

Otto Nagel vor seinem Selbstporträt, [Berlin], ca. 1933
Foto: unbekannt
Akademie der Künste, Berlin, Otto-Nagel-Archiv, Fotos Nr. 34

Michael Krejsa

Otto Nagel – Ein nüchterner Blick auf seine innere Emigration (1933 bis 1945)

Der Maler Otto Nagel erinnert sich in seiner 1952 erschienenen Autobiografie an die für ihn gerade erst sieben Jahre zurückliegende entbehrungsreiche Zeit des Nationalsozialismus mit seinen Lebensstationen in Berlin und Forst (Lausitz) und an das für ihn damit verbundene „innere Exil" mit nur wenigen Worten:

„Es ist selbstverständlich, daß die Nazizeit mir von Anfang an nichts schenkte. Ausschluß aus dem Reichsverband Bildender Künstler und Haussuchungen waren die Folge. Die paar Mark, die ich besaß, waren bald verzehrt, und eines Tages saß ich wieder wie in früheren Zeiten auf der Stempelstelle und lebte mit meiner Familie von den siebzehn Mark Arbeitslosenunterstützung in der Woche. Ich war isoliert und innerlich völlig aufgewühlt. Es entstanden damals nur wenige Bilder, das *Selbstbildnis* aus dem Jahr 1933, Das sitzende Mädchen aus dem gleichen Jahr und noch ein paar Ölbilder, die in der gleichen Art gemalt sind. [...] Hunderte Pastelle entstanden in den Straßen, auf den Plätzen, auf den Höfen der Berliner Arbeiterbezirke. [...] Ich lebte in Deutschland das Leben eines bewußten Antifaschisten, verbunden mit Verfolgung, Haft, Kampf und Schikanen. [...] Nach zweieinhalb Jahren Arbeitslosenunterstützungsbezug lebte ich vom Verdienst meiner Frau, die mir in all den furchtbaren Jahren die beste Kameradin war und blieb. Haussuchungen und Schikanen ließen nicht nach. Auch Sachsenhausen lernte ich von innen kennen."[1] Konkrete Erinnerungen, belastbare Fakten und genaue Daten bleibt der Text des Malers über seine Jahre zwischen 1933 und 1945 dem Leser schuldig. Bemerkenswert ist jedoch, dass Otto Nagel selbst in seinen Erinnerungen an diese Jahre weder von Berufsverbot, Malverbot und Verfolgung seiner Malerei in diesem Zeitraum spricht und keinen Zusammenhang mit der von den Nationalsozialisten gegen die moderne Kunst gerichteten Propaganda-Aktion „Entartete Kunst" herstellt. Dass die Darstellung eines annähernd wahrheitsgemäßen Lebenslaufes eines prominenten Künstlers in der DDR-Öffentlichkeit des Jahres 1952 nicht zu erwarten ist, kann man aus heutiger Sicht nur zu gut nachvollziehen. In der Zeit der beginnenden Stalinisierung des östlichen Deutschlands wäre das ein nicht ungefährliches Unterfangen gewesen, oder ein solcher Text wäre sofort der Zensur zum Opfer gefallen. Haben sich doch Künstler wie Otto Nagel und seine Frau Walentina, die bereits in den frühen Jahren der Weimarer Republik der KPD (seit 1918 bzw. 1926) und danach nahtlos der SED (seit 1946) angehören, in der Nachkriegszeit sehr genauen Fragen der Kaderkommission der Partei zu stellen. Hier befindet man über ihr persönliches Leben, die künstlerische Arbeit, den aktiven Widerstand und über mögliche Systemanpassungen während der Zeit des Nationalsozialismus. Zudem haben die Befragten über parteiinterne Verfehlungen und Kontakte zum persönlichen Umfeld genauestens Rechenschaft abzulegen. An diesem Ort werden auch die kaderpolitischen Voraussetzungen für den Einsatz von künftigen Funktionären auf Herz und Nieren geprüft. So steht ein

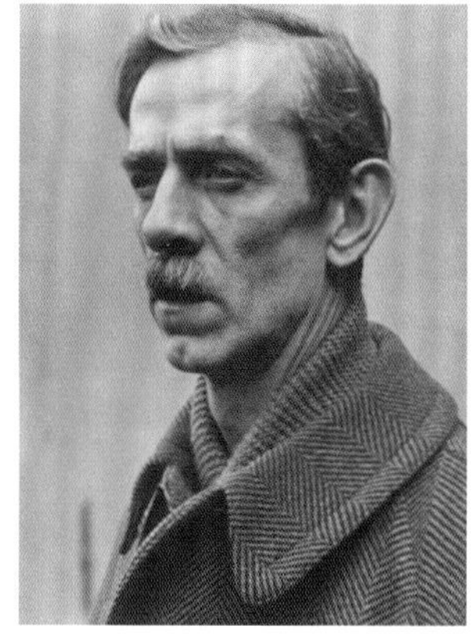

Porträt Otto Nagel, [Berlin], ca. 1939
Foto: unbekannt
Akademie der Künste, Berlin,
Otto-Nagel-Archiv, Fotos Nr. 41

Anmerkungen

1 Otto Nagel, Mein Leben, in: Otto Nagel. *Leben und Werk.* Berlin (Ost) 1952, S. 39f.

2 Vgl. ebd., S. 41.

3 So heißt es dort: „Noch 1933 wurde er [Otto Nagel] zum Vorsitzenden des ‚Reichsverbandes bildender Künstler Deutschlands' gewählt. Für zwölf Stunden nur, dann wurde seine Ernennung von den Nationalsozialisten als ungültig erklärt und er aus allen Verbänden ausgeschlossen. Hausdurchsuchungen, Haft, Malverbot folgten. 1936 wurde er für ein gutes Jahr [sic!] im KZ Sachsenhausen festgehalten". Siehe: Haftmann, Werner: *Verfemte Kunst. Malerei der inneren und äußeren Emigration.* Köln, 1986, S. 257. Die damals wohl notwendigen Rückgriffe auf die einzig offiziell zur Verfügung stehende DDR-Erinnerungsliteratur zeigen hier Langzeitwirkungen in der Rezeption der Biografie des Künstlers in Ost und West, da mindestens die Angaben zu Malverbot und KZ-Haftdauer Nagels unkorrekt sind. Was die Wahl Otto Nagels zum Vorsitzenden des Reichsverbandes bildender Künstler Deutschlands anbelangt, sind in den Akten der Reichskammer der Bildenden Künste im Landesarchiv Berlin (Bestand: A Rep. 243-04 Reichskammer der bildenden Künste, Landesleitung Berlin) hierzu keine Dokumente auffindbar. So bleibt auch nach wie vor unklar, ob der Künstler diese Funktion tatsächlich kurzzeitig ausgefüllt hat oder lediglich als Gegenkandidat der linken Opposition aufgestellt wurde. Vgl. hierzu: Michael Nungesser:

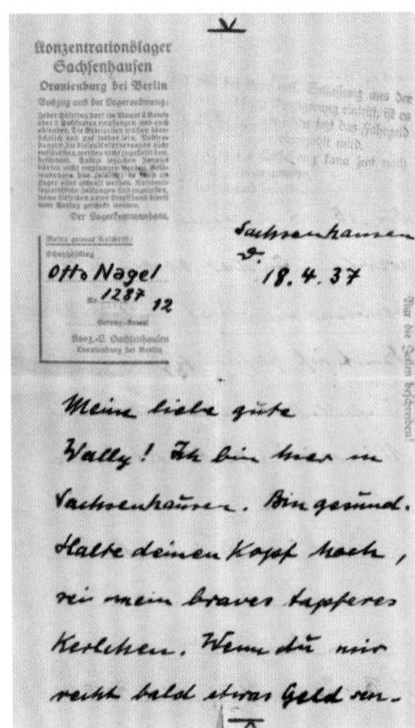

Konzentrationslager
Sachsenhausen
Oranienburg bei Berlin

Otto Nagel
1287 12

Sachsenhausen d. 18.4.37

Meine liebe gute Wally! Ich bin hier in Sachsenhausen. Bin gesund. Halte deinen Kopf hoch, sei mein braves tapferes Kerlchen. Wenn du mir recht bald etwas Geld sen-

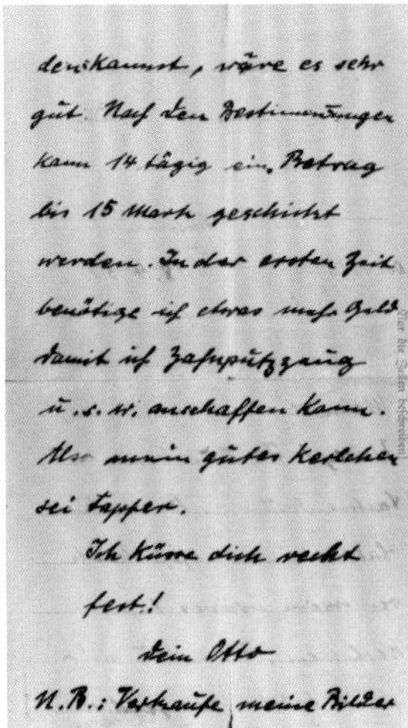

den kannst, wäre es sehr gut. Nach den Bestimmungen kann 14 tägig ein Betrag bis 15 Mark geschickt werden. In der ersten Zeit benötige ich etwas mehr Geld damit ich Zahnputzzeug u.s.w. anschaffen kann. Also mein guter Kerlchen sei tapfer.

Ich küsse dich recht fest!

Dein Otto

N.B.: Verkaufe meine Bilder

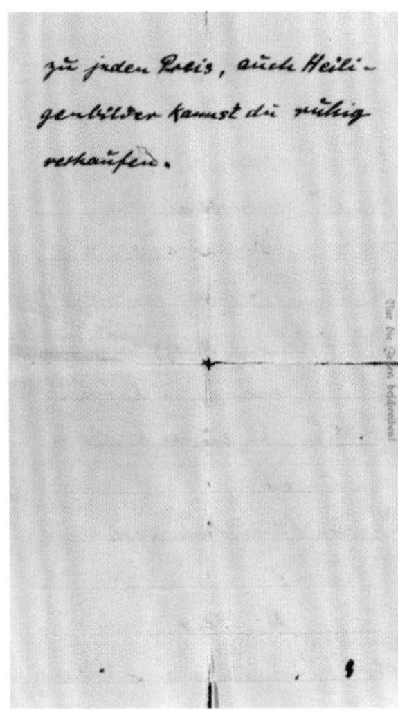

zu jeden Preis, auch Heiligenbilder kannst du ruhig verkaufen.

Brief von Otto Nagel an Walentina Nagel aus dem Konzentrationslager Sachsenhausen, 18. April 1937
Akademie der Künste, Berlin, Otto-Nagel-Archiv, Nr. 290

künstlerisches wie kunstpolitisches Fortkommen in der noch sehr jungen DDR immer zwischen Aufbruch und Hoffnung, zwischen Druck, Ergebenheit und Berechnung. Das Überleben in und mit der Nomenklatura ist – wie im Falle Otto Nagels – nur mit Annäherung, Verschwiegenheit und ein wenig List zu bewerkstelligen. Schließlich soll der Maler in der Zeit nach 1945 sofort eine Reihe von herausragenden kulturpolitischen Funktionen bekleiden, angefangen bei der Gründung der ersten KPD-Ortsgruppe in Bergholz-Rehbrücke bei Potsdam im Mai 1945, über den Aufbau des Kulturbundes zur demokratischen Erneuerung im Land Brandenburg im Juli 1945 bis hin zur Mitgliedschaft im Deutschen Volksrat im März 1948 in Berlin und vorerst endend mit den Gründungsmitgliedschaften in der Akademie der Künste im März 1950 und im Verband Bildender Künstler Deutschlands im Juni 1950 in Berlin.

So verwundert es nicht, dass Otto Nagels erste und einzige in der DDR öffentlich gemachte Autobiografie auf nur zwei von insgesamt achtundzwanzig Druckseiten die schwierigen zwölf Jahre der nationalsozialistischen Diktatur behandelt und sich dabei weitestgehend auf Erinnerungen an die zum DDR-Kultur-Kanon gehörige Bildhauerin Käthe Kollwitz, den Bildhauer Ernst Barlach, den Pädagogen und Schriftsteller Ernst Heinrich Bethge sowie den Architekten Kurt Liebknecht beschränkt.[2] Vieles bleibt im Unklaren und das wenige Überlieferte ist zum Teil bis heute die Grundlage für Veröffentlichungen zu Leben und Werk des „Malers vom Wedding". Stellvertretend hierfür seien die Publikation Verfemte Kunst. Malerei der inneren und äußeren Emigration von Werner Haftmann[3], der Enzyklopädie-Eintrag zu Otto Nagel in *Wer war wer in der DDR? Ein Lexikon ostdeutscher Biographien*[4] und die in den elektronischen Medien zur Verfügung stehenden Lebensläufe des Künstlers, wie die des Internationalen Biographischen Archivs genannt.[5]

Otto Nagel: Mein Leben

Otto Nagel will seine Autobiografie 1952 unter dem Titel „Maler der Unterdrückten" im Berliner Aufbau Verlag herausgeben, doch sie muss auf Intervention der SED unter dem Titel „Mein Leben" erscheinen.[6] Doch erst nach Nagels Tod 1967 beginnt die eigentliche „Überschreibung" der Biografie des Künstlers. Die Jahre haben inzwischen die Erinnerungen vieler Zeitzeugen an die nationalsozialistische Diktatur, den Zweiten Weltkrieg und die Nachkriegszeit verblassen lassen und sie somit der Verdrängung sowie der individuellen Umformung anheimgegeben. In diesem Zusammenhang mag das Bonmot vom Zeitzeugen als natürlichem Feind des Historikers[7] nicht ganz unzutreffend erscheinen. Zweifellos spielt auch die schwierige Zugänglichkeit von Originaldokumenten eine Rolle, die zur diffusen

Die Generalversammlung vom 30. Januar 1933, in: *‚Als die SA in den Saal marschierte…' Das Ende des Reichsverbandes bildender Künstler Deutschlands*. Berlin, 1983, S. 51f.

4 *Wer war wer in der DDR? Ein Lexikon ostdeutscher Biographien*. 5. Aufl. Berlin, 2010, Bd. 2, S. 929. Darin heißt es: „1933 Ausschluß aus dem Verb. dt. Künstler, kurzzeitige Inhaftierungen durch die Gestapo; 1934 Malverbot, Beschlagnahme u. Vernichtung vieler Werke als ‚entartet'; Gründung einer illeg. Malschule; April 1937 einige Tage Haft im KZ Sachsenhausen; ab 1938 Hilfe für untergetauchte Juden in Berlin; ab 1943 evakuiert in Forst (Lausitz)." Hier wird richtigerweise – im Gegensatz zu anderen Publikationen – die Inhaftierung im KZ Sachsenhausen mit einer Dauer von einigen Tagen und die Evakuierung nach Forst vermerkt.

5 Munzinger Online referiert den Wissenstand zu Otto Nagel in den 1930er Jahren noch heute vom Stand 18. September 1967: „Nach 1933 erhielt er Arbeitsverbot, als ‚entarteter Künstler', mußte mehrfach Haussuchungen über sich ergehen lassen und kam dann auch ins Konzentrationslager Sachsenhausen." https://www.munzinger.de/search/document?index=mol-00&id=00000009487&type=text/html&query.key=9xilAU4C&template=/publikationen/personen/document.jsp&preview= zuletzt am 31.08.2022.

6 Siehe hierzu: Beatrice Vierneisel, *Otto Nagel und die Deutsche Akademie der Künste. Vortrag zur Eröffnung der Otto-Nagel-Ausstellung des Archivs der Akademie der Künste am*

Darstellung nicht nur mancher DDR-Biografie beitrug. Im Fall von Otto Nagel führt sie durchaus mit Absicht zur Entstehung des Bildes des Arbeiterkünstlers vom roten Wedding – des „großen proletarisch-revolutionären, sozialistischen Malers".[8] Vierzehn Jahre nach Otto Nagels Tod und neunundzwanzig Jahre nach seiner Autobiografie erscheinen 1981 im Mitteldeutschen Verlag die Lebenserinnerungen von Walentina „Walli" Alexandrowna Nikitina (geb. 13.6.1904 St. Petersburg, gest. 23.10.1983 Berlin), der zweiten Ehefrau des Malers, unter dem Titel „Das darfst du nicht! Erinnerungen."[9]

Walentina Nagel: Das darfst du nicht!

Walentina Nagel tastet sich in ihrem Buch vorsichtig an die 1930er Jahre heran und schreibt über die künstlerische und politische Motivation ihres Mannes zumeist im Konjunktiv. Im Zusammenhang mit dem biografischen Dreh- und Angelpunkt seines Lebens in der NS-Zeit – Verhaftung, Einlieferung und Aufenthalt im Konzentrationslager Sachsenhausen bei Berlin – schreibt sie wenig aufschlussreich: „So begann ich, meinen Mann auf meine Art aus dem Konzentrationslager herauszuholen. Darüber könnte man ein anderes Buch schreiben".[10] Sie wird in den biografischen Angaben zu den 1930er Jahren zwar ausführlicher als Otto Nagel selbst, bleibt jedoch in weiten Teilen – wie zuvor schon der Künstler – erneut erstaunlich unpräzise. Das Fazit des Zusammenlebens mit ihrem Ehemann in den Jahren des Nationalsozialismus ist zurückhaltend formuliert: „Otto Nagel war nicht der Maler, der die Menschen zum unmittelbaren Widerstand aufrütteln wollte, vielleicht weil er wusste, dass er damit viele Menschen in Gefahr gebracht hätte. Aber eine durchgehende Malperiode wie vor 1933 gab es nicht mehr. Immer wieder wurde mein Mann aus seinem Schaffen herausgerissen. Sei es durch Verhaftungen, sei es durch zeitweiliges Untertauchen außerhalb von Berlin."[11]

Verfolgung

Die vor allem in den Erinnerungen von Walentina Nagel wiederkehrenden Aussagen zur Verfolgung des Malers durch Arbeitsverbot, Haussuchungen und lange KZ-Haft entsprechen dem Bild des proletarischen Künstlers und Kämpfers in der DDR. Die nicht in das Geschichtsbild passende Ausstellungstätigkeit und die öffentliche Resonanz zwischen 1933 und 1945 werden jedoch weitestgehend verschwiegen. Damit werden Otto Nagels zweifelsohne vorhandene Integrität und seine künstlerischen und menschlichen Verdienste im Rückblick paradoxerweise eher geschmälert denn gestärkt. Vielleicht ist es das, was Erhard Frommhold, langjähriger Lektor des Verlags der Kunst Dresden und Herausgeber der ersten umfassenden Otto-Nagel-Biografie 1974 meint, als er – für damalige Verhältnisse recht mutig und scheinbar beiläufig – erwähnt, dass es für einen Künstler vom Range Otto Nagels sonderbar erscheine, „dass sich im ganzen Werk dieser Jahre keine politische Allegorie, keine geheime direkte propagandistische Aussage" finde.[12] Diese Kritik am Umgang mit dem Werk und der Künstlerbiografie kann als unmittelbare Reaktion auf die in den Erinnerungstexten zu hinterfragenden bzw. fehlenden Passagen zum Widerstand gewertet werden, von denen Erhard Frommhold offensichtlich Kenntnis hatte. Beide Autobiografien sind somit keine unbefangenen zeithistorischen Erinnerungen an die Vergangenheit, sondern zeitversetzte, retrospektive und sehr subjektive Rekonstruktionsversuche. So befindet die CDU-Zeitung Die Neue Zeit nach dem Erscheinen von Walentina Nagels Autobiografie im Dezember 1981: „Was Walli Nagel aufschrieb, das hat wenig mit einer abgeklärten Zeit-, Geschichtsschreibung zu tun, das ist keine Analyse der Kunst- und Kulturgeschichte der zwanziger, dreißiger, vierziger Jahre."[13]

Selbstverständlich sind politische Repressionen nicht erst seit 1933 Otto Nagels ständige Begleiter, da er bekanntes und bekennen-

27. März 2008 im Mitte Museum Berlin. Hier heißt es: „die Partei hatte symptomatisch eingegriffen: ‚Mit dem Genossen Nagel ist kameradschaftlich und helfend auf dem Boden der Partei über sein Werk ‚Maler der Unterdrückten' zu diskutieren. Dabei sind Vorwort, Bildrepertoire und Titel des Werkes den gegenwärtigen Erfordernissen entsprechend zu verbessern.' https://www.adk.de/de/aktuell/veranstaltungen/i_2008/Otto-Nagel_Berliner-Stadtlandschaften.htm zuletzt am 31.08.2022.

7 Vgl. hierzu u. a. die Auseinandersetzung bei Wolfgang Kraushaar: Der Zeitzeuge als Feind des Historikers? Neuerscheinungen zur 68er-Bewegung, in: *Mittelweg*, 36 8 (1999), S. 49–72.

8 Vgl. o. A.: Zum Tod von Walli Nagel, *Neues Deutschland*, Berlin (Ost), 24.10.1983, S. 6.

9 Walli (Walentina) Nagel: *Das darfst du nicht! Erinnerungen.* Halle (Saale), Leipzig ,1981.

10 Die genaue KZ- Aufenthaltsdauer von Otto Nagel konnte mithilfe der Datenbanken der Gedenkstätte und Museum Sachsenhausen ermittelt werden. Demnach wurde Otto Nagel am 17. April 1937 mit der Häftlingsnummer 1287 [Block 12] im KZ Sachsenhausen registriert und am 19. April 1937 entlassen. Vgl. hierzu den Brief von Monika Liebscher an das Archiv Bildende Kunst der Akademie vom 3. September 2007 (Az. 2-10/10) und Walli (Walentina) Nagel: *Das darfst du nicht! Von Sankt Petersburg nach Berlin Wedding. Erinnerungen.* Mit einem Nachwort von Brunhilde Wehinger. Berlin, 2018, S. 197.

Meine genaue Anschrift:
Schutzhäftling
Otto Nagel
Nr.
Gefang.-Komp.
Konz.-L. Sachsenhausen
Oranienburg bei Berlin

Konzentrationslager Sachsenhausen
Oranienburg bei Berlin

Auszug aus der Lagerordnung:
Jeder Häftling darf im Monat 2 Briefe oder 2 Postkarten empfangen und auch absenden. Die Briefzeilen müssen übersichtlich und gut lesbar sein. Postsendungen, die diesen Anforderungen nicht entsprechen, werden nicht zugestellt bzw. befördert. Pakete jeglichen Inhalts dürfen nicht empfangen werden. Geldsendungen sind zulässig; es kann im Lager alles gekauft werden. Nationalsozialistische Zeitungen sind zugelassen, wenn dieselben unter Streifband direkt vom Verlag geschickt werden.
Der Lagerkommandant.

Frau
Wally Nagel
Berlin N. 20
Badstr. 65

Umschlag des Briefes von Otto Nagel an Walentina Nagel aus dem Konzentrationslager Sachsenhausen, 18. April 1937
Akademie der Künste, Berlin, Otto-Nagel-Archiv, Nr. 290

des KPD-Mitglied der ersten Stunde war. Von einem Berufsverbot ist der Künstler dennoch nicht betroffen, wie die weiter unten dokumentierte starke Ausstellungstätigkeit des Künstlers zeigt. Zugleich fallen nachweislich zumindest drei seiner Gemälde *Meine Mutter* (um 1925), *Arbeitsnachweis* (um 1924/1926) und *Arbeiterbrautpaar* (um 1927/1929) der Aktion „Entartete Kunst" zum Opfer.[14]

Widerstand

Doch was hat es mit dem immer wieder postulierten Widerstand des Ehepaars Walentina und Otto Nagel während der NS-Zeit auf sich? Das 1949 gegründete Institut für Marxismus-Leninismus beim Zentralkomitee der SED (IML) führt ab 1953 in seiner Abteilung „Geschichte der deutschen Arbeiterbewegung" intensive Forschungen zur Geschichte der KPD und zu Fragen des antifaschistischen Widerstandskampfes durch, deren Ergebnisse u. a. im sogenannten „Erfassungsschein A" die Teilnahme von KPD-Mitgliedern am Widerstand gegen den Nationalsozialismus dokumentieren. In dieser Kartothek finden sich auch Otto und Walentina Nagel.[15] Die insgesamt acht überlieferten undatierten Karteikarten geben interessanterweise zu unterschiedlichen Zeiten verschiedene Auskünfte über das Ehepaar. Unter der wiederkehrenden Rubrik „Teilnahme am antifaschistischen Widerstandskampf" heißt es bei Otto Nagel zuerst „n. b. [nicht bekannt]", später „KPD-Arbeit", dann „OdF [Opfer des Faschismus]" und schließlich, erst nach dem Tod des Künstlers 1967 [sic!] „Bildung von illegalen antifaschistischen Zellen" mit den Angaben zum Wirkungsgebiet „Berlin-Köpenick und Forst/Lausitz, 1933–1945". Offensichtlich handelt es sich bei der „antifaschistischen Zelle" um die linkssozialistische Widerstandsgruppe um Herbert Klein und Otto Linke in Berlin-Köpenick, zu der Otto Nagel nach Angaben der Ehefrau von Linke nach 1940 zumindest persönliche Kontakte pflegt. Das würde eine Reihe der Ungereimtheiten der Biografie von Otto Nagel vor dem Hintergrund des historisch äußerst spannungsvollen Verhältnisses zwischen SPD und KPD erklären. Die Mitglieder dieser Widerstandsgruppe der Sozialistischen Arbeiterpartei Deutschlands (SAP) gehen 1931 ursprünglich aus einer Abspaltung des linken SPD-Flügels hervor und treten unter Führung Willi Münzenbergs zwischen 1935 und 1937 für einen gemeinsamen Ausschuss von KPD, SPD und SAP zur Vorbereitung einer deutschen Volksfront gegen Adolf Hitler auf Grundlage völliger Glaubens- und Gewissensfreiheit ein. Einige ihrer ehemaligen Gruppenmitglieder gelten nach dem Krieg als bekennende Gegner der Zwangsvereinigung von KPD und SPD. Die mit dieser Gemengelage verbundene politische Brisanz ist Otto Nagel zum Zeitpunkt seiner Befragungen sicher nicht vollständig klar.[16] Aus kultur- und bündnispolitischen Erwägungen heraus erhält Otto Nagel dennoch, offensichtlich als Ergebnis der kaderpolitischen Analysen, 1958 die Medaille für „Kämpfer gegen den Faschismus" und den Status als

Über seinen nur kurzzeitigen KZ-Aufenthalt im Jahr 1937 hatte Otto Nagel den parteioffiziellen Stellen gegenüber immer wahrheitsgemäß Auskunft gegeben, wenngleich die beiden veröffentlichten DDR-Künstler-Biografien andere Interpretationsspielräume zuließen.

11 Vgl. ebd.: Walli (Walentina) Nagel 2018, S. 156. Vgl. auch Rosa von der Schulenburg: Otto Nagel. Anmerkungen zu Leben und Werk, In: *Otto Nagel (1994-1967) Orte – Menschen. Ölbilder und Pastelle aus der Kunstsammlung der Akademie der Künste, Berlin,* Berlin, 2012 S. 10-18, spez. S. 14 ff. und in diesem Katalog die erweiterte Version Von Menschen und Orten. Otto Nagels Berlin-Bilder aus der NS-Zeit.

12 Erhard Frommhold: Otto Nagel. Zeit. Leben. Werk. Mit einem Vorwort von Walli Nagel, autobiografischen Zeugnissen und ausgewählten Aufsätzen des Künstlers. Berlin (Ost), 1974, S. 158. Erhard Frommhold übernimmt trotz seiner Distanzierung und vieler verdienstvoller Präzisierungen in der Biografie Otto Nagels dennoch für die 1930er Jahre mündliche Überlieferungen in Bezug auf das Ehepaar. So heißt es dort u.a.: „1941 wird er [Otto Nagel] erneut nach der Prinz-Albrecht-Straße gebracht. Erst nachdem er im Verhör seine ‚Harmlosigkeit als Häusermaler' eindrucksvoll beteuern kann, entläßt man ihn. Seiner Frau ergeht es nicht besser. Seit dem Überfall des faschistischen Deutschlands auf die Sowjetunion ist sie als ‚staatenlos', ja zur ‚feindlichen Ausländerin' erklärt wor-

„Opfer des Faschismus" zuerkannt. Bereits zwei Jahre zuvor befindet man im Zusammenhang mit der geplanten Berufung Otto Nagels zum neuen Präsidenten der Deutschen Akademie der Künste in einer Vorlage für das Politbüro des ZK der SED: „Der Genosse Nagel bringt für diese Funktion die entsprechende künstlerische Qualifikation und das entsprechende nationale Ansehen mit."[17] Otto Nagel zählt zu den ersten vom Ministerrat der DDR anerkannten ehemaligen Häftlingen, die in Gefängnissen, Zuchthäusern und Konzentrationslagern in der Zeit des Nationalsozialismus inhaftiert waren. Zum kaderpolitischen Abwägungsprozess gehörte mit Sicherheit auch die gründliche Überprüfung der künstlerischen Entwicklung des Malers in dieser Zeit. In diesem Zusammenhang erscheint es erstaunlich, dass die im Folgenden benannten Fakten durch die Kaderkommission entweder nicht ausgewertet wurden, bis heute unbekannt blieben oder die Unterlagen darüber nicht (mehr) existieren.

Ausstellungsverbot

In der Zeit zwischen der Ernennung Adolf Hitlers zum Reichskanzler Ende Januar und dem Reichstagsbrand Ende Februar 1933 eröffnet Otto Nagel noch am 13. Februar gemeinsam mit der zwei Tage später ihrer Akademiemitgliedschaft enthobenen Käthe Kollwitz und dem ab April 1933 seiner Arbeitsmöglichkeiten beraubten Hans Baluschek eine Ausstellung mit unbekannten Arbeiten Heinrich Zilles im Berliner Warenhaus Hermann Tietz. Die *Welt am Montag* feiert den gemeinsamen Auftritt dieser in den Weimarer Jahren gewachsenen Künstlerverbindung: „Die von Otto Nagel, dem hymnischen Maler des Berliner Proletariats, besorgte Ausstellung, hoch oben, in der Chausseestraße (bei Hermann Tietz), ist knorke: Heimatkunst, ist wurzeltiefer Urwuchs, unnachahmlich, ist Berlin."[18] Die Zeitung muss vierzehn Tage später, am 6. März 1933, ihr Erscheinen einstellen, ihre Mitarbeiter emigrieren oder werden verhaftet. Dennoch geht die Gleichschaltung auf kulturellem Gebiet nicht schlagartig vonstatten. Innerhalb der verschiedenen nationalsozialistischen Strömungen ist man sich noch uneins, ob man die Expressionisten oder zumindest die Neusachlichen für sich in Anspruch nehmen will. Vielleicht eignete sich Otto Nagel – ähnlich wie der mit ihm befreundete Heinrich Zille – nicht als kulturelles „Feindbild", da beide vornehmlich in Berlin als volkstümlich, beliebt und in der Stadt verankert gelten. Die wenigen bekannten bzw. nach 1945 aus unterschiedlichen Erwägungen heraus verdrängten Informationen über Otto Nagels Ausstellungstätigkeit in der NS-Zeit lassen diese Schlussfolgerung zu. Eine Reihe von Veröffentlichungen in einschlägigen Kunstausstellungskatalogen und Artikeln in der lokalen Berliner Presse könnten Indizien dafür sein.

So blieb vor allem die Teilnahme Otto Nagels an den Berliner Akademie- und anderen offiziellen Kunstausstellungen der Jahre 1934 bis 1943 bisher unbeachtet. Bei diesen Ausstellungen ist Otto Nagel insgesamt vier Mal vertreten. So in der Frühjahrsausstellung vom April/Mai 1934 bei einer Gedächtnisausstellung für den Bildhauer August Kraus, der noch 1933, ein Jahr vor seinem Tod, den Vorsitz der Abteilung Bildende Kunst der bereits „gleichgeschalteten" Akademie der Künste übernahm. Die Herbstausstellung vom November/Dezember 1934 ist als Sonderausstellung dem Mitglied Arthur Kampf gewidmet, der seit 1. Mai 1933 der NSDAP-Mitglied ist und 1937 zum Vorsitzenden der Abteilung Bildende Kunst in der Preußi-

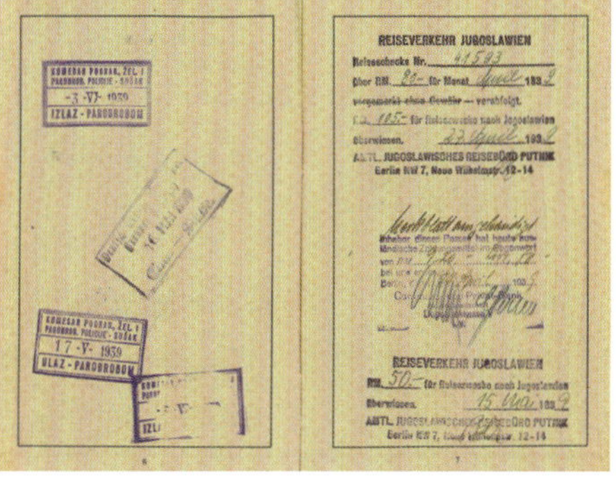
Personenbeschreibung
Beruf ohne
Geburtsort Leningrad
Geburtstag 23.6.94
Wohnort Berlin
Gestalt mittel
Gesicht oval
Farbe der Augen braun
Farbe des Haares braun
Besond. Kennzeichen keine
Kinder
Name | Alter | Geschlecht
Reiseverkehr Jugoslawien
Reiseverkehr Jugoslawien

Reisepass von Walentina Nagel, geb. Nikitina, ausgestellt am 22. März 1939
Akademie der Künste, Berlin, Otto-Nagel-Archiv, Nr. 397

den. Täglich droht ihr das Internierungslager, das für sie den schreckenerregenden Namen Ravensbrück trägt. Die Gestapo verhehlt ihr in einem stundenlangen Verhör auch diese ‚Endlösung' nicht." Vgl. ebd., S. 171. Diese Informationen sind bisher nicht verifizierbar. Auch die Recherchen in den Unterlagen des Bundesarchivs Berlin im Bestand BArch R 58 Reichssicherheitshauptamt konnten eine erneute Inhaftierung Otto Nagels nicht bestätigen. Gleiches gilt für die Frage des Verlustes der deutschen Staatsbürgerschaft von Walentina Nagel. Allerdings lässt sich für die Zeit vor Beginn des Zweiten Weltkrieges die deutsche Staatsangehörigkeit für sie belegen. Das zeigt der im Otto-Nagel-Archiv der Akademie der Künste überlieferte, am 22. März 1939 für ein Jahr ausgestellte Reisepass des Deutschen Reiches. Das Reisedokument von Walentina Nagel wurde in dieser Zeit offensichtlich für ein Touristenvisum für die Insel Susak ab dem 16. Mai 1939 nach Jugoslawien genutzt. Vgl. hierzu auch Akademie der Künste, Berlin, Otto-Nagel-Archiv Nr. 397.

13 Bernd Heimberger: Rückblick auf ein reiches Leben. ‚Das darfst du nicht! Erinnerungen an ein reiches Leben', in: Die Zeit, Berlin (Ost), 14.12.1981., S. 6.

14 Siehe: Otto Nagel. *Die Gemälde und Pastelle. Werkverzeichnis bearbeitet von Sibylle Schallenberg Nagel und Götz Schallenberg. Veröffentlichung der Akademie der Künste der Deutschen Demokratischen Republik und des Märkischen Museums.* Berlin (Ost) 1974, S. 105 [WV Nr. 88], S. 103 [WV Nr. 75] und S. 109 [WV Nr. 116] und Datenbank

B.Z. am Mittag

Nr. 10
Berliner Zeitung 1943 — 67. Jahr

10 Pfennig
Auswärts 15 Pf.

DEUTSCHER VERLAG / BERLIN SW 68

Dienstag, 12. Januar

Heute Seite 6: „Berlin ist mein Freiluftatelier" Warum der Maler Otto Nagel an der „Plumpe" wohnt

Verschärfte Schiffahrtskrise durch den großen U-Boot-Schlag

Hermann Göring und Alfred Rosenberg 50 Jahre

Paladin des Führers

Reichsmarschall Hermann Göring

Nordafrika hängt von der Tonnage ab

Die Wirkungen des Tanker-Ausfalls greifen schnell um sich

Schwere USA-Verluste im Pazifik

Betretenes Teilgeständnis aus Washington

Reichsminister Alfred Rosenberg

Siehe auch Umseite

Berliner schreiben: „Ich lob mir meine Gegend"

III.) „Berlin ist mein Freiluftatelier"

Der Maler Otto Nagel erzählt, warum er an der „Plumpe" wohnt

Wenn man Otto Nagel besuchen will, muß man „hoch hinaus". Sein Atelier liegt im V. Stock in der Badstraße. Die Straße bewahrt mit ihrem Namen noch die Erinnerung daran, daß einst der „Gesundbrunnen", die „Plumpe" wie der Berliner sagt, Bade- und Trinklustige in diese Gegend lockte. Diese Gegend begleitet einem, auch wenn man durch das Atelier schlendert.

„Wir glauben es Herrn Nagel gern, denn um ihn herum stehen zwischen vielen Altberliner Bildern, Oelgemälden und Pastellen schöne buntbemalte Bauernmöbel, die von diesen Reisen erzählen.

Der Maler Otto Nagel in seinem „Milljöh"

Gertrud Haupt

Wieder Schiwettbewerbe im Grunewald

In wenigen Worten

Unsere Voraussagen

Deutsche Jugend antwortet den Kriegsverbrechern

Die glücklichste Braut von Berlin

E. T. A. Hoffmanns Vision — Treffpunkt vor dem Rathaus

Gertrud Haupt

Frauenmord schnell gesühnt

Nach der Verurteilung hingerichtet

Verkehrsstörung in Schöneberg

Tragischer Tod auf dem Bahnhof

Wer hat Anspruch auf ein Zimmer?

In der Hauptferienzeit haben auch Reisenden mit schulpflichtigen Kindern Vorrang

Auch gebrauchte Rundfunkgeräte nur gegen Bezugschein

Spart Kohlen!

Verdunkeln

Was bringt der Rundfunk?

„Berlin ist mein Freiluftatelier"
aus: BZ am Mittag
vom 12. Januar 1943
Akademie der Künste,
Berlin, Otto-Nagel-Archiv,
Nr. 10

zum Beschlagnahmeinventar der Aktion „Entartete Kunst", Forschungsstelle „Entartete Kunst", FU Berlin. http://emuseum.campus.fu-berlin.de/eMuseumPlus?service=RedirectService&sp=Scollection&sp=SfieldValue&sp=0&sp=1&sp=3&sp=Sdetail-List&sp=0&sp=Sdetail&sp=0&sp=F zuletzt am 31.08.2022.

15 Für diesen Hinweis danke ich Sven Schneidereit und Dr. Christian Kurzweg vom Bundesarchiv Berlin, die mich auf diese Recherchemöglichkeit aufmerksam machten und meine Recherche geduldig unterstützten.

16 Vgl. hierzu u. a.: Heinrich-Wilhelm Wörmann: *Widerstand in Köpenick und Treptow, Bd. 9 der Schriftenreihe über den Widerstand in Berlin von 1933 bis 1945.* Berlin, 2010, S. 66f. und 81ff. Johanna Linke berichtet 1965 über die illegale Arbeit: „Nach meiner Heirat am 2. März 1939 in Berlin-Köpenick wurde die unmittelbare Verbindung zur Gruppe Köpenick-Nord wiederhergestellt. Ich nahm mit meinem Mann an allen Zusammenkünften teil [...] Zeitweilig gehörten dieser Gruppe auch Genosse Otto Nagel (Nationalpreisträger und jetziger Vizepräsident der Deutschen Akademie der Künste) und seine Frau Walli an [...] Uns war Nagel als Kommunist und Künstler bereits vor 1933 bekannt. Persönlich lernten wir ihn Anfang 1940 bei unserem Besuch in seinem Atelier im Berliner Norden, Badstraße, kennen".

17 Vorlage für das Politbüro vom 9. März 1956. SAPMO-BA DY 30, J IV 2/2A/481, Bl., 288. In diesem Zusammenhang ist bemerkenswert, dass bereits Jahre zuvor Walentina Nagel (am

schen Akademie der Künste wird. Im Oktober/November1935 folgt die Herbstausstellung, die durch eine Sonderausstellung zu Ehren Philipp Francks ergänzt wird, mit einem Kinderbildnis von Otto Nagel. Die letzte bekannte Akademieschau, die vom Maler mit zwei seiner Arbeiten beschickt wurde, ist die Frühjahrs-Ausstellung vom April/ Mai 1943, an der neben den beiden Akademiemitgliedern Arthur Kampf und Ludwig Dettmann (beide NSDAP-Mitglieder) u. a. Philipp Franck und Georg Kolbe teilnehmen, wie der Archivar und Schriftsteller Hans Zeeck in der *Deutschen Allgemeinen Zeitung* berichtet.[19]

Ein einziger Blick in die Ausstellungskataloge jener Jahre hätte in der Nachkriegszeit verraten können, dass Otto Nagel in der preußischen Akademie der Künste, im Verein Berliner Künstler und in der Allgemeinen Deutschen Kunstgenossenschaft insgesamt fünfzehn Mal mit seinen Gemälden und Pastellen prominent vertreten war.[20] Hinzu kommen zwischen April 1940 und Juni 1941 offizielle Presseberichte über Otto Nagels Pastellbilder, die vornehmlich auf seine Atelierausstellungen unter genauer Angabe seiner Weddinger Adresse Bezug nehmen und die somit auch hier gegen ein offizielles Mal-, Ausstellungs- und Verkaufsverbot des Künstlers sprechen. So heißt es u. a. in der *Berliner Morgenpost* vom Juni 1941: „In einer ausgesprochen berlinischen Gegend, am Gesundbrunnen, steigt man vier Stockwerke empor, um Alt-Berlin in Pastellbildern zu sehen. Der Maler Otto Nagel hat zum zweiten Male in seinem Atelier eine Folge von Pastellen ausgestellt, die unser ältestes Berlin in Bildern schildern."[21] *Der Westen* berichtet im gleichen Monat, dass der Künstler schon 1940 mit seinen Bildern „einen guten Erfolg" erzielte und „in seinem Atelier in der Badstraße 65 ein halbes Hundert neuer Bilder" ausstellt. Dem Maler wird von Hellmuth Pattenhausen, einem Kunstkritiker der *Deutschen Allgemeinen Zeitung* bescheinigt, dass sein klarer scharfer Blick „in das lebendige Herz der Dinge" treffe und seine „sachlich-herbe Darstellung" mit einer „verhaltenen, leise sprechenden Beseelung" vereinigt sei.[22] Hier zeigt sich erneut die Ambivalenz der nationalsozialistischen Kulturpolitik, wenn man zudem in Rechnung stellt, dass die Zeitung jener Jahre zeitweise mehrtägigen Publikationsverboten unterworfen ist. Über die Absicht, dass sogar ein „Fernseh-Studio den Maler Alt-Berlins aufsuchen [werde], um – vermutlich – Berlinern die verborgenen Schönheiten ihrer Stadt unter seiner malerischen Führung erleben zu lassen" berichtet die *Berliner Börsenzeitung* im gleichen Jahr und macht damit mehr als deutlich, dass Otto Nagel – zumindest zu dieser Zeit – keinen einschneidenden Einschränkungen ausgesetzt gewesen sein kann.[23] Als schließlich die auflagenstarke Boulevardzeitung *BZ am Mittag* im Januar 1943 auf der Frontseite die fünfzigsten Geburtstage von Hermann Göring und Alfred Rosenberg begeht und zugleich der Beitrag „Berlin ist mein Freiluftatelier. Warum der Maler Otto Nagel an der ‚Plumpe' wohnt" erscheint, wird deutlich, dass der Maler während dieser Zeit kein Unbekannter in der Reichshauptstadt ist. Er berichtet im Interview darüber, wie er den Kindern einer ganzen Klasse in seinem Atelier „in Bild und Wort von der Schönheit unseres lieben alten Berlin[s]" erzählt".[24] Nur wenige Tage danach – am 16. Februar 1943 – erscheint die letzte Ausgabe der *BZ am Mittag*. Joseph Goebbels hält zwei Tage später seine berüchtigte Rede vom „totalen Krieg" im Berliner Sportpalast. Im Februar 1944 verlässt Otto Nagel und seine Frau Walentina mit ihrem gerade sieben Monate alten Kind Sibylle die ausgebombte Wohnung in der Badstraße 64 im Berliner Wedding in Richtung Forst, dorthin wo er sich bereits schon 1943 zeitweise aufgehalten hatte.

Forst (Lausitz)

Die Zeitung Der Führer berichtet über diese offensichtlich bemerkenswerte Evakuierung: „Der Berliner Maler Otto Nagel, der das alte Berlin

22. November 1952) und ihr Mann Otto Nagel (am 1. Dezember 1952) die Anerkennung als Verfolgte des Naziregimes vom Vorstand der Berliner Vereinigung der Verfolgten des Naziregimes in der Charlottenstraße betätigt bekamen. Siehe hierzu auch Akademie der Künste, Berlin, Otto-Nagel-Archiv Nr. 402 und 403. Vgl. auch Brunhilde Wehingers Nachwort in: Walli (Walentina) Nagel 2018, S. 198 zum Gründungsmythos der DDR: „Dieser Gründungsmythos beruhte auf der Idee eines heldenhaften Antifaschismus, der gewissermaßen institutionalisiert wurde, um die Erinnerung an den Widerstand gegen das NS-Regime gegenwärtig zu halten."

18 Vgl. P.K : Zille daheim, in: *Die Welt am Montag. Unabhängige Zeitung für Politik und Kultur*, Berlin, 20. Februar 1933.

19 Siehe Hans Zeeck: Frühjahrsschau der Akademie, in: *Deutsche Allgemeine Zeitung*. Berlin, 17. April 1943. Das Frontispiz des entsprechenden Akademiekataloges von 1943 zeigt ein Bildnis Adolf Hitlers von Otto von Kursell. Vgl. hierzu auch Katalog der Herbst-Ausstellung der Preußischen Akademie der Künste, Berlin, 1935 https://doi.org/10.11588/diglit.48514#0007 zuletzt am 31.08.2022.

20 Während Walentina Nagel in ihren Erinnerungen über die 1930er Jahre schreibt „Die Jahre vergingen, Otto Nagel hatte Mal-, Ausstellungs- und Verkaufsverbot, das war im Wedding

in Oelbildern und Pastellen festgehalten hat, ist als Umquartierter in Forst (Lausitz) eingezogen. Da er eine hohe Zahl Alt-Berliner Bilder mitgebracht hatte, veranstaltete er hier eine Ausstellung und hatte damit bereits einen ersten großen Erfolg."[25] Am 27. September begeht Otto Nagel seinen 50. Geburtstag. Wie das *Forster Tageblatt* berichtet, werden „aus diesem Anlaß [...] ihm zweifellos viele seiner Forster Freunde in dem Kriegsatelier in der Berliner Straße ihre Glückwünsche darbieten. Auch die Forster Stadtverwaltung wird unter den Gratulanten nicht fehlen. Oberbürgermeister Dr. [Gero] Friedrich [...] wird dem Künstler durch ein Schreiben die Glückwünsche der Stadt übermitteln und ihm durch seinen Vertreter die Ehrenplakette der Stadt Forst überreichen lassen."[26] Der Bürgermeister von Forst und vormalige Zivil- und Strafrichter am Amtsgericht und Landgericht Frankfurt (Oder) sowie dessen Frau hatten sich vom Künstler 1944 portraitieren lassen.[27]

Doch der Aufenthalt in der Lausitz währt nicht lang. Am 5. März 1945 meldet sich die Familie Nagel erneut aus der Leipziger Straße 22 in Forst nach Berlin Halensee in die Karlsruher Straße 8 um. An diesem Tag kapituliert die Festung Graudenz in Westpreußen vor der Roten Armee und die Truppen der Westalliierten besetzen fast vollständig das linksrheinische Gebiet. Die Zeichen für das Ende des Krieges sind auch für die Familie Nagel greifbar und voller Hoffnung. Sie werden sich dem Aufbau im Osten Deutschlands zur Verfügung stellen und ihr Lebenswerk und ihre Biografien auf eine neue Zeit einstellen, eine Zeit, in der die Erinnerung an die Vergangenheit nicht unproblematisch sein wird.

Fazit

Die Voraussetzung dafür, dass Otto Nagel zwischen 1933 und 1945 in der Öffentlichkeit wirken kann, ist eine Mitgliedschaft in der Reichskulturkammer bzw. der ihr nachgeordneten Reichskammer der bildenden Künste. Eine Nichtmitgliedschaft kommt damit einem unmittelbaren Berufs- und Malverbot gleich. In der Ersten Verordnung zur Durchführung des Reichskulturkammergesetz vom 1. November 1933 heißt es: „Wer bei der Erzeugung, der Wiedergabe, der geistigen oder technischen Verarbeitung, der Verbreitung, der Erhaltung, dem Absatz oder der Vermittlung des Absatzes von Kulturgut mitwirkt, muß Mitglied der Einzelkammer sein, die für seine Tätigkeit zuständig ist."[28] Ohne eine solche Kammermitgliedschaft hätte Otto Nagel also weder malen, ausstellen noch verkaufen können. Dokumentarische Belege für eine Mitgliedschaft in der Reichskulturkammer können nach aktuellem Forschungsstand jedoch nicht nachgewiesen werden, wenngleich alle Indizien dafür sprechen, dass Otto Nagel Mitglied der Reichskammer der bildenden Künste gewesen sein muss. Welche Institution der Stadt Berlin hätte es zwischen 1933 und 1945 wagen können, einem Nichtmitglied Ausstellungsmöglichkeiten eröffnen zu können, welche Zeitungsredaktion hätte es riskiert, einem auf dem Index stehenden Künstler ein Interview zu gewähren, welches Fernseh-Studio hätte auch nur erwägen können, von einem verfemten Künstler ohne Zustimmung Aufnahmen zu machen und welche Stadtverwaltung hätte einem Ausgegrenzten und Verbotenen zum Jubiläum gratuliert?

Sicher bleibt trotz alledem, dass sich Otto Nagel seine schöpferische Eigenständigkeit in jenen Jahren hat bewahren können. ■

bekannt", sprechen die bisher bekannten Ausstellungsdaten dagegen. In der Preußischen Akademie der Künste: Frühjahrs-Ausstellung vom April-Mai 1934: *Selbstbildnis 1933* und *Steinträger*; Herbst-Ausstellung vom November-Dezember 1934: *Weg am Wedding, Kanalpartie an der Seestraße* und *Alte Schuppen am Wedding*; Herbst-Ausstellung vom Oktober-November 1935: *Kinderbildnis*; Frühjahrs-Ausstellung vom April-Mai 1943: *Alberliner Treppenhaus* und Die *Köllnische Straße*; im Verein Berliner Künstler: Ausstellung Gäste des Vereins vom Februar-März 1940: *Straße im Schnee*; Ausstellung Gäste des Vereins vom Juli bis August 1941: *Die Petristraße*; Ausstellung Gäste des Vereins vom März-April 1942: Hauseingang Petristraße und Ausstellung 1943 Januar-Februar: *Vorfrühlingstag in Alt-Berlin* und *Märzsonne in der Petristraße* und schließlich in der Allgemeinen Deutschen Kunstgenossenschaft e.V.: Kunstausstellung 1941 April-Mai: *Hof Fischerstraße*; Kunstausstellung 1941 November-Dezember: *Frühling in Finkenkrug* und *Sperlingsgasse im Schnee* aus.

21 Vgl. Gertrud Haupt: Pastellbilder von Alt-Berlin In: *Berliner Morgenpost. Unterhaltungsblatt*, 15. Juni 1941.

22 Vgl. H.[ellmuth] Pattenhausen: Unromantische Malerei, in: *Deutsche Allgemeine Zeitung, Berlin*, 3. April 1940.

23 Vgl. Renate Michniewicz: Berlins malerische Chronik, in: *Berliner Börsenzeitung*, 21. Juni 1941, S. 3.

Otto Nagel beim Malen
im Spreewald, 1937
Foto: Erich Rinka
Akademie der Künste, Berlin,
Otto-Nagel-Archiv,
Fotos 40
Abdruck mit freundlicher
Genehmigung des Sorbischen
Kulturarchivs/Sorbisches Institut/
Bautzen/Budyšin

24 Vgl. Gertrud Haupt: Berliner schreiben: Ich lob mir meine Gegend III. Berlin ist mein Freiluftatelier. Der Maler Otto Nagel erzählt, warum er an der ‚Plumpe' wohnt', in: *BZ am Mittag*, Berlin, 1. Januar 1943. Siehe hierzu Abb. 60.

25 Vgl. o. A.: Kurze Kulturnachrichten, in: *Der Führer. Hauptorgan der NSDAP Gau Baden*, Rastatt, 3. Januar 1944, S. 4.

26 Zit. nach Otto Nagel wurde heute vor 120 Jahren geboren, in: *Lausitzer Rundschau*, Cottbus, 27. September 2014.

27 Vgl. Frank Henschel: Der Maler Otto Nagel. Seine Forster Jahre und seine Forster Bilder. In: Forster Jahrbuch für Geschichte und Heimatkunde 2017/2018, S. 167. Henschel legt nahe, dass diese Tätigkeit mit der Freistellung Otto Nagels vom Volkssturm verbunden gewesen sei. Die beiden Gemälde tragen die Titel „Dr. Gero Friedrich" (Öl, 1944) und „Frau Friedrich" (Öl, 1944).

28 Vgl. Erste Verordnung zur Durchführung des Reichskulturkammergesetz. Abschnitt II Kammerzugehörigkeit, § 4. Berlin, 1. November 1933. Reichsgesetzblatt I. 1933, S. 797.

Treffen des Kulturbundes in Potsdam 1946, Von links nach rechts: Oskar Nerlinger, Carl Hofer, Arthur Degner, Otto Nagel, Alice Lex-Nerlinger
Foto: unbekannt, Akademie der Künste, Berlin, Otto-Nagel-Archiv, Fotos 56

Eckhart J. Gillen

„Ich empfinde diese Zumutung als eine unverschämte Frechheit ..."

Aufstieg, Fall und Selbstbehauptung eines Künstlers, der ausersehen war, Repräsentant einer neuen, sozialistischen Kunst in der DDR zu werden (1945 bis 1967)

„Das Werk eines Künstlers ist keine Maschine, wo jedes Teil eine bestimmte Funktion hat und sich genau mit der Mikrometerschraube messen und durch Brechungen in seiner Wirkung festlegen lässt."[1]

Otto Nagel, 1951

Otto Nagel gehört zu den 25 Künstlern, die in der DDR als „Wegbereiter" gelten für die eigene, noch zu entwickelnde Kunst im Sozialismus. Sie werden in einer gleichnamigen, 1976 erschienenen Publikation[2] gewürdigt als Vorbilder und als kämpferische Humanisten, die einen opferreichen Weg gegangen sind. Keine einzige Künstlerin ist darunter. Wenn Willi Sitte in seinem Vorwort von diesen Künstlern sagt, sie seien „Aktivisten der ersten Stunde"[3], dann gilt das vor allem für Otto Nagel, der gleich nach dem Krieg bis Anfang der 1960er-Jahre hohe kulturpolitische Ämter übertragen bekommt, die ihn kaum Zeit finden lassen für seine Malerei.

In Bergholz-Rehbrücke bei Potsdam, wo er nach Kriegsende Unterkunft findet, engagiert er sich 1945 sofort kulturpolitisch als Mitbegründer des „Kulturbundes zur demokratischen Erneuerung Deutschlands" im Land Brandenburg. Die Gründungsversammlung findet am 10. Juli 1945 in seinem Haus statt. Nagel folgt als Landesvorsitzender dem Kunsthistoriker August Grisebach, der es vorzieht, nach Heidelberg zu übersiedeln.

Infolge der Zwangsvereinigung von SPD und KPD wird das KPD-Mitglied Nagel 1946 Mitglied der SED. Er wird als Delegierter des Kulturbundes Mitglied der Beratenden Versammlung Brandenburgs, dann des Landtages bis 1950, schließlich des 1. und 2. Volksrates der Sowjetischen Besatzungszone (SBZ), der Provisorischen Volkskammer, und danach von 1949 bis 1954 Abgeordneter der Volkskammer der DDR. Am 24. März 1950 erhält er im Berliner Admiralspalast aus der Hand von Wilhelm Pieck, dem damaligen Präsidenten der DDR, zusammen mit 21 anderen Persönlichkeiten[4] die Berufungsurkunde in die Deutsche Akademie der Künste zu Berlin (DAK). Noch im Oktober desselben Jahres richtet ihm der wieder als Direktor der Nationalgalerie eingesetzte Ludwig Justi eine große Ausstellung mit Werken aus drei Jahrzehnten in den Räumen der Akademie am Robert-Koch-Platz aus. 1959 folgt eine weitere Retrospektive zum 65. Geburtstag in der Nationalgalerie.

Der Verband Bildender Künstler, damals noch im Kulturbund, macht ihn 1950 bis 1952 auf seinem I. Kongress (17. bis 18. Juni 1950) zum 1. Vorsitzenden, 1955 auf dem III. Kongress des Verbandes Bildender Künstler Deutschlands (VBKD) zu ihrem Präsidenten bis 1959. Von 1952 bis 1954 und 1956 ist er Sekretär der Sektion Bildende Kunst, 1953 bis 1955 und wider Willen 1962 bis 1967 Vizepräsident der Deutschen Akademie der Künste zu Berlin. Zum Höhepunkt seiner kulturpolitischen Karriere wird 1956 das Präsidentenamt der DAK, das er bis zu seinem erzwungenen Rücktritt 1962 innehat.

Mit der Verschärfung der politischen Lage nach dem Mauerbau in der DDR gerät er 1961/62 in schwere Konflikte mit Partei und Regie-

1 Otto Nagel, Brief vom 5.2.1951 an Gerhard Pommeranz-Liedtke. In diesem Brief kritisiert Nagel als Kurator der Käthe-Kollwitz-Ausstellung in der Deutschen Akademie der Künste einen Aufsatz von Kurt Magritz, der bereits in Heft 9/1949 der Zeitschrift bildende kunst veröffentlicht worden war, und lehnt seinen Wiederabdruck (vermutlich im Katalog) ab.

2 Wegbereiter. 25 Künstler der Deutschen Demokratischen Republik, Dresden 1976.

3 Ebd., S. 7.

4 Das sind: Johannes R. Becher, Bertolt Brecht, Max Butting, Heinrich Ehmsen, Hanns Eisler, Erich Engel, Ottmar Gerster, Bernhard Kellermann, Wolfgang Langhoff, Ernst Legal, Max Lingner, Heinrich Mann (verstirbt vor seiner Abreise in die DDR), Hans Marchwitza, Ernst Hermann Meyer, Gerda Müller, Gret Palucca, Otto Pankok, Anna Seghers, Gustav Seitz, Heinrich Tessenow, Helene Weigel, Arnold Zweig.

rung. Von 1962 bis 1967 wird ihm noch, als Trostpreis gewissermaßen, ein Sitz im Präsidialrat des Kulturbundes gewährt.

Otto Nagel wird seit der Verleihung des Professorentitels 1948 mit Preisen und Ehrungen überhäuft, die bis zur posthumen Ernennung zum Ehrenbürger Berlins 1970 reichen.[5] Die DDR würdigt und vereinnahmt ihn damit aber auch zugleich als populären Künstler des Arbeitermilieus und Vorbild für den zu schaffenden Sozialistischen Realismus. Die vielen Ämter und Ehrungen weiß er zwar zu schätzen, durchschaut aber die Instrumentalisierung seiner Person, gegen die er sich zunehmend zur Wehr setzt.

Sozialistischer Realist wider Willen

Im November 1948 veröffentlicht der Leiter der Kulturabteilung der Sowjetischen Militäradministration in Deutschland (SMAD), Oberstleutnant Alexander Dymschitz, einen folgenreichen Artikel „Über die formalistische Richtung in der deutschen Malerei".[6] Mit dieser Veröffentlichung beginnt eine Kampagne gegen den Formalismus, die zeitlich zusammenfällt mit der Umwandlung der SED in eine Partei „Leninschen Typs"[7], mit der die 1945 noch gewährte „Freiheit der wissenschaftlichen Forschung und künstlerischen Gestaltung" einkassiert wird.

Mit dem Artikel „Wege und Irrwege der modernen Kunst" beginnt drei Jahre später, 1951, die zweite, verschärfte Phase der Anti-Formalismus-Kampagne, in der in fataler Nähe zum NS-Jargon der berüchtigten „Aktion Entartete Kunst" von 1937 zum Bildersturm aufgerufen wird gegen Gemälde, auf denen „Menschen als abscheuliche Ungeheuer, schmutzig, ungepflegt und missgestaltet" dargestellt werden. „Eine Kunst aber, die sich Entartung und Zersetzung zum Vorbild nimmt" bewirkt nur, „daß den Werktätigen der Glaube an ihre eigenen Kräfte und Fähigkeiten geraubt wird".[8]

Mit dem Pseudonym N. Orlow wird für parteiinterne Kreise signalisiert, dass der so unterzeichnete Artikel vom sowjetischen Hochkommissar Wladimir Semjonow[9] in Karlshorst autorisiert ist.

Victor Klemperer notiert am 27. Januar 1951 entsetzt und resignativ in seinem Tagebuch: „[W]ir sind auf intellektuellem Gebiet genau so barbarisch u. fanatisch wie die Nazis. – Also schweigen, sich auslöschen, warten."[10]

Die Gleichschaltung des öffentlichen Lebens und der Künstlerverbände in der DDR lässt nur sehr vereinzelte und vorsichtige Stimmen aus den Reihen der Weimarer Generation gegen die doktrinäre Anti-Formalismus-Kampagne zu Worte kommen. Neben René Graetz, Hans und Lea Grundig wagt es auch Otto Nagel, eine Entgegnung auf den berüchtigten Orlow-Artikel zu schreiben. Am 15. Februar 1951 erscheint in der *Täglichen Rundschau* unter der Überschrift „Die Kunst als Waffe des Volkes"[11] sein Beitrag, in dem er feststellt, dass der Orlow-Artikel bei seinen Kollegen „eine gewisse Verwirrung" hervorgerufen habe „durch nicht immer geschickte Formulierungen".

Allerdings akzeptiert er gleich zu Beginn seines Betrages bereitwillig die Zerstörung des Wandbildes *Trümmer weg – baut auf!* von Horst Strempel im Bahnhof Friedrichstraße in der Nacht vom 24. auf den 25. Februar 1951[12] und schreibt dem Kollegen dazu noch ins Stammbuch: „[E]s wäre an der Zeit, daß er nun endlich einmal sein Friedrichstraßenbild abwäscht und den Beweis antritt, daß er jetzt zu anderen Leistungen fähig ist."[13] Strempel allerdings ahnt, was auf ihn zukommen wird und entweicht dem Druck noch im gleichen Jahr mit der S-Bahn in Richtung der Westsektoren der Stadt.

Nagel verteidigt jedoch die von ihm so verehrte Käthe-Kollwitz gegen den Vorwurf, sie würde nur „den leidenden Teil des Volkes" darstellen. Mit Befremden registriert er, dass stattdessen „ausge-

5 Siehe Biografie im Anhang.

6 *Tägliche Rundschau* vom 19.11. und 24.11.1948.

7 Auf der Ersten Parteikonferenz, die während der Blockade West-Berlins vom 25.–28. Januar 1949 abgehalten wird, spricht man erstmals offiziell von der Umwandlung der SED in eine Partei neuen oder Leninschen Typs, d. h. in eine hierarchisch organisierte Tochterpartei der KPdSU. Diese Bezeichnungen sind Euphemismen, die den Stalinisierungsprozess in einem revolutionären Licht erscheinen lassen sollen. Dazu schreibt Wolfgang Leonhard: „[E]s war nichts anderes als die weitere Angleichung der SED an die stalinistische Partei der Sowjetunion." (Wolfgang Leonhard, Die Revolution entläßt ihre Kinder, Köln 1955, zit. n. der Ausgabe Gütersloh 1960, S. 547f.)

8 Tägliche Rundschau vom 20. und 21.1. 1951.

9 Wladimir S. Semjonow, Dr. sc. hist., geb. 1911, gest. 1992, ist seit 1946 „Politischer Berater" des Chefs der Sowjetischen Militäradministration in Deutschland (SMAD), dann des Vorsitzenden der Sowjetischen Kontrollkommission in Deutschland (SKK), der Nachfolgeorganisation der SMAD, die nach Gründung der DDR aus der SMAD hervorgegangen ist. Er wird am 28.5. 1953 zum Hohen Kommissar der UdSSR in Deutschland (bis 1954) ernannt und ist damit die höchste Autorität der sowjetischen Besatzungsmacht in der DDR. Von 1978 bis 1986 ist er Botschafter der

rechnet Anselm Feuerbach und Max Klinger aufgeführt werden, und [...] ausgerechnet Monet als positives Beispiel angeführt wird. Monet, der im Gegensatz zu Manet dem Gegenstand Valet sagt, der zu einer Auflösung desselben bis zur letzten Konsequenz kommt, so daß zuletzt nur noch ein Geflimmere von Licht und Farbe übrig bleibt".[14]

Nagel wehrt sich auch gegen Pathos und Pose, denn nicht „der gemalte Schweißtropfen auf der Stirn des Aktivisten" sei das Wesentliche, „sondern die Haltung, der Geist, von dem unser neues, von rotem Blut durchpulstes Leben gekennzeichnet wird".[15]

Doch der politische Druck auf Otto Nagel in seiner exponierten Funktion als Erster Vorsitzender des VBKD ist groß und die Angst, Ämter und Privilegien zu verlieren, ebenso. Er lenkt in seinem Text also ein und schreibt: „Ich verstehe durchaus, wenn man der bildenden Kunst gegenüber ungeduldig ist. Wir als bildende Künstler tragen diese Ungeduld selbst in uns. Ich persönlich habe versucht, den neuen Menschen zu erkennen und zu gestalten, und bin mit meinen bisherigen Leistungen durchaus noch nicht ganz zufrieden."[16]

Auf den Orlow-Artikel folgt im März das sogenannte Formalismus-Plenum (5. Tagung des ZK der SED vom 15. bis 17. März 1951), das mit der Rede von Hans Lauter, ZK-Sekretär für Kultur, und der Entschließung *Der Kampf gegen den Formalismus in Kunst und Literatur, für eine fortschrittliche deutsche Kultur* die Formalismuskampagne zur offiziellen Parteilinie erklärt. Auf dieser Tagung tritt auch Nagel auf und muss sich jetzt, einen Monat nachdem er sich in der *Täglichen Rundschau* vorsichtig vom Formalismus-Verdikt distanziert hat, positionieren. In seinem Beitrag auf dem Plenum kritisiert er „einige Verirrungen in Deutschland seit 1918", was ihm aber wohl nicht allzu schwer gefallen sein muss, da er mit den Dadaisten und den Abstrakt-Konkreten bereits in den Weimarer Jahren nichts anfangen kann.[17]

Der neuen aus der Sowjetunion importierten Parteilinie folgend, die von den Künstlern fordert, das Individuelle zugunsten des Typischen zu überwinden, plant er 1949 einen Zyklus „Menschen unserer Zeit", für den er sieben Gemälde fertigstellen kann. Am Ende seiner 1952 erschienenen Erinnerungen *Mein Leben* schreibt er, dass seine bisherigen Darstellungen von Menschen, die „im Grunde alle arme Teufel" gewesen seien, sich dadurch auszeichneten, dass er sie alle gut kannte. „Meine jetzt von mir dargestellten Menschen wollen den neuen Typus des Werktätigen verkörpern. Es ist der Neubauer, der nicht nur sein Feld bearbeitet, sondern der an den Lebensfragen unseres Volkes Anteil nimmt, es ist der Aktivist, die Neulehrerin."[18]

Neubauer, 1949,
Öl auf Leinwand,
86 x 65 cm,
Staatliche Kunstsammlungen - Galerie Neue Meister, Albertinum Dresden

Nagels große Porträtkunst beruht auf seiner Fähigkeit, sich einer konkreten Person zu nähern, sie in ihrer Eigenart ernst zu nehmen und zugleich ihr Geheimnis zu wahren. Das zeigen vor allem seine Kinderbilder wie *Rudi* (1939) (S. 87), *Mädchenbildnis Sibylle* (1955) (S. 97), aber auch *Junge Arbeiterin* (1921/22) (S. 85).[19] Es sind Porträts von Personen, die zwar durch ihr Milieu und ihren Stand geprägt sind, aber dennoch als eigenwillige, einmalige Persönlichkeiten erscheinen, die sich gegen ihr Standesschicksal zu behaupten wissen. Bewusst verzichtet er auf Berufs- und Standesattribute oder verzeichnet sie nur ganz nebenbei. Nun aber will er auf einmal nicht nur einen Bauern bei der Arbeit malen, sondern einen „Neubauern", dem man ansehen soll, dass er „an den Lebensfragen unseres Volkes Anteil nimmt", indem er sich etwas missmutig in die Lektüre der Parteizeitung vertieft.

UdSSR in der Bundesrepublik Deutschland.

10 Victor Klemperer, So sitze ich denn zwischen allen Stühlen. Tagebücher 1950–1959, Berlin 1999, S. 127.

11 Zit. n. Erhard Frommhold, Otto Nagel. Zeit, Leben, Werk. Mit einem Vorwort von Walli Nagel, autobiographischen Zeugnissen und ausgewählten Aufsätzen des Künstlers. Berlin: Henschel, 1974, S. 383–389, hier: S. 384, fortan Frommhold 1974.

12 Vgl. Günter Feist, Das Wandbild im Bahnhof Friedrichstrasse. Eine Horst-Strempel-Dokumentation 1945–1955, in: Eckhart Gillen und Diether Schmidt (Hg.), ZONE 5. Kunst in der Viersektorenstadt 1945–1951, Berlin 1989, S. 92–137.

13 Frommhold 1974 (vgl. Anm. 11), S. 384.

14 Ebd., S. 385.

15 Ebd.

16 Ebd.

17 Otto Nagel, Die Künstler müssen ihre fachlichen Fähigkeiten schnellstens vervollständigen – Über einige künstlerische Verirrungen in Deutschland seit 1918, in: Hans Lauter, Der Kampf gegen den Formalismus in Kunst und Literatur, für eine fortschrittliche deutsche Kultur, Berlin 1951, S. 80–84.

18 Otto Nagel, Leben und Werk. Mein Leben, Berlin 1952, S. 44.

Sibylle, 1965,
Öl auf Leinwand, 60,5 x 55,5 cm

Die *Arbeiterstudenten* (S. 105) sollen die neue Generation von Aktivisten verkörpern, welche die DDR aufbauen werden. Die steifen Posen der zwei jungen Männer und der jungen Frau mit ihren ratlosen und trübe dreinschauenden Gesichtern scheinen aber eher über ein großes Unglück nachzusinnen, das ihnen widerfahren ist, als über ihre Zukunft im Sozialismus. Der links sitzende Student, der sich auf die zur Faust geballte rechte Hand stützt und starr vor sich hineinstiert, soll wohl eine besonders entschlossene Haltung vorführen. Es besteht weder ein Blickkontakt zwischen den drei Student_innen noch zum Betrachtenden. Man könnte auf die Idee kommen, dass Otto Nagel für diese Generation keine große Zukunft sehen kann. Die trüben, bräunlich-grünen Farbtöne verstärken den pessimistischen Unterton des Gemäldes.

Auch die frontal als Dreiviertelfigur dargestellte *Neulehrerin* (S. 106) scheint unsicher zu sein, wie sie ihren Unterricht gestalten soll, welche Stoffe sie unterrichten darf. Sie schaut blicklos vor sich hin und verweigert jeden Kontakt mit den sie Betrachtenden. Die verschränkten Arme sind kein Hinweis auf ihre Entschlossenheit, die neue Aufgabe beherzt anzupacken, sondern wirken, als würde sie ihre eigene Unsicherheit verbergen wollen, indem sie versucht, bei sich selbst Halt zu finden. Vergleicht man die Haltung der verschränkten Arme der *Neulehrerin* mit denen, die Nagel auf dem Porträt seiner Tochter *Sibylle* (1965) malt, wird deutlich, welche Distanz zwischen den beiden Frauenporträts liegt. Auch hier wählt Nagel eine frontale Darstellung, diesmal sitzend. Aber welch sanfte Energie strahlen die Haltung der verschränkten Arme und Hände hier aus, mit denen seine Tochter ihren Körper umfängt! Und welche Intensität liegt im Ausdruck dieser traurig und zugleich entschlossen blickenden Augen.

Nein, man kann Otto Nagel wirklich nicht vorwerfen, dass er mit diesem Zyklus von 1949 Jubel- und Propagandabilder für den Neuen Menschen gemalt habe. Das „Neue" im Antlitz dieser traurigen Menschen können sie nicht zum Ausdruck bringen. Nicht zu übersehen ist der hier durch äußeren Druck erzwungene Bruch Nagels mit seiner bisherigen Porträtkunst, die ihn weit über sein politisches Milieu hinaus berühmt gemacht hat als „Der Klassiker des Wedding".[20] Erst nach dem erzwungenen Abschied aus der Politik 1962 findet er in den letzten Lebensjahren noch einmal zurück zu seiner ureigenen Intensität des Porträtierens.

Auch sein *Selbstbildnis mit rotem Schal* 1949, mit dem er seinen Zyklus „Menschen unserer Zeit" eröffnet, wirkt im Vergleich zu seinem tief bewegenden Abschiedsporträt als *Der alte Maler* von 1963, das ihn in entspannter Körperhaltung mit träumerischem Blick in eine unbestimmte Ferne frontal neben seiner Staffelei zeigt, verkrampft, ja fast wie eine Selbstkarikatur des fleißigen Malers im Dienst der Partei. Angestrengt blickt er auf eine im Bild unsichtbare Leinwand, auf die sein Pinsel sich richtet, um mit penibler Geste ein Detail anzufügen. Mit der bunten Palette in der linken Hand, einem locker um Hals und Schulter gelegten roten Schal, der die richtige Gesinnung signalisiert, soll dieses Künstlerporträt den wieder konzentriert und

19 In den Erinnerungen von 1952 heißt er noch *Der kranke Mann*.

20 Frommhold 1974 (vgl. Anm. 11), S. 105.

21 Ebd., S. 181.

22 Ebd., S. 181f.

23 Gottfried Paulsen in einer Sendung des RIAS I vom 2.12.1959 zum 65. Geburtstag von Nagel: „Schliesslich, nach 1945 brach die dritte Periode im Schaffen des Künstlers an. Die Arbeit in dem ein Leben lang erträumten kommunistischen Staat. Und hier nun geschieht das Seltsame oder auch Bezeichnende. Abgesehen von einigen grauen Trümmerpastellen der ersten Jahre entsteht fast nichts mehr von Bedeutung. Im Gegenteil, die Pastelltechnik verwässert und verflacht und wird in den

Selbstbildnis mit rotem Schal, 1949, Öl auf Leinwand, 85 x 65 cm
Staatliche Museen Preußischer Kulturbesitz, Neue Nationalgalerie

Der alte Maler, 1963,
Öl auf Leinwand, 100 x 80 cm,
Staatliche Kunstsammlungen -
Galerie Neue Meister,
Albertinum Dresden

produktiv arbeitenden Maler präsentieren – im Kontrast zum *Selbstbildnis* von 1936 (S. 93 und Abbildung auf dem Umschlag), das ihn untätig vor einer leeren Leinwand, rauchend und mit der linken Hand in der Hosentasche zeigt. Hier fixiert er die Betrachtenden mit einem leicht vorwurfsvollen Blick, als wolle er sagen, schaut her, das Regime hat mich zur Untätigkeit verdammt, während das Porträt von 1949 sagt, jetzt kann ich, dank des neuen Staates, endlich wieder für die Gesellschaft aktiv sein.

Blättern vom Aufbau der Stalinallee fade bis zur handwerklichen Unbeholfenheit. Die Porträts in Öl, einst so unbestechlich in ihrer Realistik, werden in Arbeiten wie dem ‚Jungen Maurer von der Stalinallee' oder im Bildnis eines ‚Neubauern' zaghaft, dünnblütig gekünstelt. [...] Gerade diese Künstler und Schriftsteller müssten sich doch nun befreit und angeregt, müssten sich doch heute auf dem Höhepunkt ihrer Kraft fühlen, weil doch angeblich ihre Jugendträume in der Zone verwirklicht werden. [...] Otto Nagel schrieb erst vor wenigen Wochen, [...] die Kunst in der DDR spiegle das Neue, Herrliche und Grosse der jüngsten Entwicklung und die Farben der Palette würden nicht ausreichen, um das noch schönere, reichere und glücklichere, das bevorstünde, wiederzugeben. Aber Nagel selbst bleibt in seinen Bildern den Beweis für seine Behauptung schuldig."

24 Sein Gemälde ist im Katalog nicht abgebildet, nur im Verzeichnis der Ausstellung wird es auf Seite 18 aufgeführt. Auch in Frommhold 1974 (vgl. Anm. 11) wird das Gemälde nicht abgebildet. Frommhold sieht darin „nur das schwache Echo seines guten Willens, eine historische Phase der neuen Wirklichkeit idealistisch zu illustrieren" (S. 182).

Otto Nagel, *An der Sektorengrenze*, 1951, Pastell, 50 x 60 cm

Auch Erhard Frommhold charakterisiert einzelne Bilder aus dem Zyklus von 1949 als „Idealbildnisse, aus denen die realen beziehungsweise individuellen Merkmale verdrängt sind. Also die Zurücknahme seiner Erfahrungen zugunsten einer idealischen Stilisierung."[21] Nagel bricht den Zyklus abrupt ab und malt danach bis Ende der 1950er-Jahre nur noch wenige Bilder. Frommhold spricht von einer Schaffenskrise, die Nagel erst mit den erwähnten eindrucksvollen Porträts in der ersten Hälfte der 1960er-Jahre überwindet. Die Gründe sieht Frommhold zurecht in der Infragestellung von Nagels „Realitätsauffassung, die nach 1949 behutsam und 1951 rigoros ästhetisch in Frage gestellt wird [...] Die vereinfachende politische Verteilung von gut und böse oder gar die autoritativ geforderte ‚verschönernde' Verklärung der Wirklichkeit mußte Nagel unzugänglich bleiben."[22] Ein Westberliner Journalist bemerkt die groteske Wirkung dieser Bilder zwischen 1949 und 1953: „Ja, Nagel der Realist entfernte sich so weit von der Wirklichkeit, dass er ein Pastell ‚Sektorengrenzstrasse' (*An der Sektorengrenze*, 1951) schuf, mit dem folgenden Inhalt: Im Ostsektor herrscht Leben, Fahnen flattern von den Häusern, Menschen bevölkern den Bürgersteig. Die westliche Seite liegt öde und leer und in Trümmern. Ein Invalide humpelt in der Ferne, das einzige sichtbare Auto steht im Ostsektor."[23]

So bleibt auch Nagels Beitrag zum Wiederaufbau Berlins blass und unentschieden. Er lässt sich für die III. Deutsche Kunstausstellung[24] 1953 zu einem *Jungen Maurer von der Stalinallee* (1953) überreden, der prompt in der *National-Zeitung*, vom 11. März 1953 kritisiert wird: „Sein *Junger Maurer* ist mehr konstruiert als erlebt." Das Bild „ist sowohl in der Anlage wie in der Ausführung von großer Flüchtigkeit". Außerdem wirft man ihm „modellhafte Starrheit", mangelnde räumliche Tiefenwirkung und einen Hintergrund vor, der wie „reine Staffage" wirke.

Nagel hat das Dreiviertelporträt des Maurers bewusst unheroisch angelegt, keine Spur vom stolzen Erbauer oder Vertreter der neuen herrschenden Klasse, eher in der etwas unbeholfenen Pose einer gestellten Porträtfotografie. Die unter dem Zwang zur Typisierung für Otto Nagel ungewöhnliche Anonymisierung der Figur nimmt er später zurück und nennt das Bild *Maurerlehrling Wolfgang Plath vor dem eingerüsteten Rohbau einer Großbaustelle*.[25]

In einer Sitzung der Sektion Bildende Kunst der DAK am 9. April 1953, die sich mit der Auswertung der III. Deutschen Kunstaus-

25 Vgl. Paul Kaiser, Arbeiterlob im Kunstkombinat. Zum Wandel eines Bildprogramms in Malerei und Fotografie, in: Fotogeschichte. Beiträge zur Geschichte und Ästhetik der Fotografie, 2006, S. 5. Nach der 2. Entstalinisierung 1961 auf dem XXII. Parteitag der KPdSU wird die nach sowjetischem Vorbild projektierte Stalinallee, für die 1952 der Grundstein gelegt worden war, in Karl-Marx-Allee umbenannt, daher ist im Titel nur noch von einer Großbaustelle die Rede.

26 Vgl. Otto Nagel, Dritte Deutsche Kunstausstellung und die Aufgaben der Deutschen Akademie der Künste, Sitzungsprotokoll der Sektion Bildende Kunst vom 9.4.1953, Akademie der Künste, Berlin, Akademie der Künste (Ost), Nr. 254, zit. n. Petra Uhlmann, Sabine Wolf, Meister und Schüler. Strukturen der Nachswuchsförderung an der Sektion Bildende Kunst der deutschen Akademie der Künste zu Beginn der fünfziger Jahre, S. 262–279, hier: S. 272.

stellung auseinandersetzt, benennt Nagel selbstkritisch die Mängel der Künstlerausbildung in der DAK, fehlendes Lehrmaterial und richtungsweisende Debatten.[26] Die Stimmung Anfang des Jahres 1953 ist auch in der DAK denkbar schlecht. Ein internes Papier von Rudolf Engel, von 1950 bis 1955 Direktor der DAK, zählt u. a. auf: „Brecht wehrt sich gegen bürokratische Behandlung durch untergeordnete Mitarbeiter der Kunstkommission [...], Gustav Seitz will weg, da er als Künstler mißachtet und als ‚Feind' angesehen wird. [...] Bei Otto Nagel äußert sich zeitweise eine tiefe Depression, die ihre Ursache in einer Verständnislosigkeit [der Funktionäre, d. Verf.], wie er es ausdrückt, für Kunst und Künstler hat. Diese Grundstimmung herrscht bei vielen vor, die – mehr oder weniger ausgesprochen – als eine Diktatur der Funktionäre über die Künstler angesehen wird."[27]

Über die vermutlichen Gründe für seine tiefe Verstimmung gibt Nagel in der außerordentlichen Sektionssitzung Bildende Kunst zur Frühjahrsausstellung der Deutschen Akademie der Künste am 16. Juni 1955 Einblick: „Sehen wir meinen eigenen Fall. Man ist ein Maler, man hat Jahrzehnte als Maler auf dem Buckel, man hat seine Arbeit geleistet, man ist seinen geraden Weg gegangen, und nun befindet man sich in der Zeit, die man herbeigesehnt hat, für die man ja mitgekämpft hat, dass sie kommt, und nun hat man das Bedürfnis, mit seiner ganzen Kraft, mit seiner Kunst sich einzufügen, mitzuhelfen, sich mit seiner Kunst dem anzupassen – man tut es ehrlich, man schafft Bilder, die aus der innersten Überzeugung heraus geschaffen wurden – aber nun kommen die Forderungen, und es wird dann gefordert, dass man nicht mehr der ist, der man ist. Man begnügt sich nicht damit, dass man sich in die neue Zeit hineinstellt, dass man die neue Zeit gestaltet, sondern man verlangt auch, dass man nicht mehr mit seinen Augen die neue Zeit sieht – und hier hört es auf, Spaß zu sein. [...] Schauen Sie doch um sich, alle, die wir diesen Weg gegangen sind und die wir versucht haben, dran zu bleiben – ich mit meinen Stalin-Allee-Bildern – wir haben mal Schiffbruch erlitten. Und um sich wieder zu fangen, nach einem Jahr, das ist gar nicht so leicht für einen Künstler. Man kann nicht so eine Entwicklung nach Belieben umbiegen und wieder geradebiegen – das geht nicht."[28]

Hans Grundig sekundiert, wenn er in einem Artikel „Über die ‚ASSO' in Dresden", deren Mitglied er selbst war, warnt: „Wir werden niemals zu einer durchbluteten realistischen Malerei der Gegenwart kommen, wenn wir ein halbes Jahrhundert der Entwicklung des kritischen Realismus außer acht lassen. [...] Es ist nicht so, daß unser kulturelles Erbe mit Menzel abgebrochen wäre und dann nur noch der Formalismus geherrscht hätte."[29]

Es sind ausgerechnet die Maurer von der Stalinallee, deren Typus Otto Nagel mit „zarten, rosigem Milchgesicht"[30] für die III. Deutsche Kunstausstellung gemalt hat, denen 1953 der Kragen platzt. Ausgehend von einem Protestmarsch gegen höhere Arbeitsnormen von 300 Bauarbeitern am Block 40 der Baustelle Stalinallee am 16. Juni entwickelt sich ein Volksaufstand, an dem rund eine halbe Million Menschen in 560 Städten und Gemeinden der DDR beteiligt sind.[31] Noch in der Nacht zum 17. Juni bittet die DDR-Führung um Ulbricht und Grotewohl den sowjetischen Hohen Kommissar Wladimir Semjonow um den Einsatz sowjetischer Truppen. Zwei Panzerregimenter und eine Division kommen allein in Ost-Berlin zum Einsatz. Schätzungsweise 125 Menschen sterben, Hunderte werden bei den Einsätzen sowjetischer Truppen in Berlin, Leipzig und Magdeburg verletzt.

Nach halbherzigen Versuchen, Ulbricht zu entmachten – in letzter Minute rettet ihn u. a. der Sturz Lawrenti Berijas in Moskau am 26. Juni 1953[32], der im Machtkampf um die Nachfolge Stalins eine deutsche Wiedervereinigung anstrebt zu Lasten der DDR – ist der „Neue Kurs" allerdings politisch bereits gescheitert. Die ZK-Resolu-

Junger Maurer von der Stalinallee, 1953, Öl auf Leinwand, 115 x 80 cm
Stiftung Stadtmuseum Berlin

27 [Vermutlich Rudolf Engel], Einige Hinweise über die Gründe von Mißstimmungen bei den Mitgliedern unserer Akademie, 26.1.1953, Akademie der Künste, Berlin, Akademie der Künste (Ost), Nr. 18 in: Zwischen Diskussion und Disziplin. Dokumente zur Geschichte der Akademie der Künste (Ost) 1945/1950 bis 1993, hg. von der Stiftung Archiv der Akademie der Künste in Zusammenarbeit mit Inge Jens ausgewählt und kommentiert von Ulrich Dietzel und Gudrun Geißler, Berlin 1997, S. 78, fortan Stiftung Archiv der Akademie der Künste 1993.

28 AdK, Berlin, AdK (Ost), Nr. 175.

29 Bildende Kunst, Heft 7, 1957, S. 468.

30 Gerhard Pommeranz-Liedtke, Otto Nagel und Berlin, Berlin 1964, S. 88.

31 Vgl. Arnulf Baring, Der 17. Juni 1953, Stuttgart 1983. In der Bundesrepublik wurde der 17. Juni am 1.7.1953 nach einer kontroversen Bundestagsdebatte zum „Tag der Deutschen Einheit" erklärt, an dem die Politiker Gelegenheit bekamen, in Sonntagsreden die Wiedervereinigung zu beschwören. Vgl. dazu Juni 53. Der Volksaufstand vom 17. Juni 1953 in Ost-Berlin und der Sowjetischen Besatzungszone, hg. vom Bundesministerium für Gesamtdeutsche Fragen, Bonn und Berlin 1961.

32 Vgl. Wilfried Loth, Stalins ungeliebtes Kind, München 1996, S. 204–216, fortan Loth 1996.

Ehrenwache am Sarg von J. R. Becher am 14.10.1958 im großem Saal des Hauses der Ministerien
Foto: Zentralbild, Bundesarchiv 183-59131-0009, vgl. auch Akademie der Künste, Berlin, Otto-Nagel-Archiv, Fotos 54

tion vom 26. Juli 1953 hält zwar noch verbal an ihm fest, verzichtet aber auf alle selbstkritischen Äußerungen. Der 17. Juni hat aus Sicht der SED-Führung nichts mehr mit den „Folgen unserer Politik im letzten Jahre" (Kommuniqué der ZK-Sitzung vom 21. Juni 1953) zu tun, sondern sei der Versuch eines „faschistischen Putsches", den „monopolkapitalistische und junkerliche Kreise Westdeutschlands als Helfer des amerikanischen Imperialismus" mit „Agenten des Ostbüros" der SPD organisiert hätten.[34] Es folgt eine erneute Partei„säuberung", in deren Verlauf ca. 20.000 Funktionäre und 50.000 einfache Mitglieder ausgeschlossen werden.

Als Konsequenz der Ereignisse fordert die Deutsche Akademie der Künste in einer Erklärung vom 30. Juni 1953, an der auch der Vizepräsident Nagel beteiligt ist, mehr „Verantwortung des Künstlers vor der Öffentlichkeit".[35] Auf den beiden außerordentlichen Vorstandssit-

33 Dokumente der Sozialistischen Einheitspartei Deutschlands, Bd. IV, Berlin 1954, S. 453f.

34 Vgl. Loth 1996 (vgl. Anm. 32), S. 217f.

35 Veröffentlicht am 12.7.1953 im Neuen Deutschland. In: Elimar Schubbe, Dokumente zur Kunst-, Literatur- und Kulturpolitik der SED Stuttgart 1972, S. 289.

36 Vgl. Wolfgang Harich, „Es geht um den Realismus – Die bildenden Künste und die Kunstkommission", Berliner Zeitung vom 14.7. 1953. In: Dokumente 1972, (wie Anm. 35), S. 292–296.

37 Titel eines zweibändigen Romans von Ilja Ehrenburg, der zwischen 1954 und 1956 entsteht, deutsch: 1957. – In einem Beschlussprotokoll der Präsidiumssitzung am 14.6.1956 mit Nagel und Brecht als Vizepräsident wird in einem Schreiben des Ministerpräsidenten mitgeteilt, dass er Johannes R. Becher beauftragt habe, die Interessen der Akademie gegenüber dem Ministerrat zu vertreten. Brecht betont, man werde nicht mit Referenten des Ministeriums verhandeln, sondern mit dem

zungen des VBKD im August und am 14. November 1953 wird Kritik laut an den bürokratischen Disziplinierungsmethoden der Staatlichen Kunstkommission. Und tatsächlich führt diese Kritik zu deren Auflösung und der Gründung eines Ministeriums für Kultur im Januar 1954.[36] Die Berufung von Johannes R. Becher, seit 1945 Präsident des Kulturbundes zur demokratischen Erneuerung Deutschlands, zum ersten Kulturminister ist ganz im Sinne von Nagel, der seit seiner Arbeit für den Kulturbund in Brandenburg in der unmittelbaren Nachkriegszeit engen Kontakt zu Becher pflegt. Die Besetzung des Ministeriums mit einem herausragenden Vertreter des literarischen Expressionismus gibt der künstlerischen Intelligenz Anlass zu Hoffnungen auf ein „Tauwetter".[37]

Die aus der Emigration in die DDR zurückgekehrten Künstler der Weimarer Republik, wie Herbert Sandberg, Hans und Lea Grundig, aber auch Otto Nagel, wehren sich vehement gegen den aus der Sowjetunion importierten Sozialistischen Realismus, der ihnen keinesfalls das erwartete Korrektiv zur Nazi-Kunst bietet. Auch die Nationalsozialisten hatten sich einer naturalistischen Malerei bedient, abgeleitet von der akademischen Genremalerei des 19. Jahrhunderts. Die Auseinandersetzung mit der „faschistischen Ästhetik" war wegen dieser stilistischen Nähe in der DDR tabuisiert. Auf der Sitzung am 14. November bricht Cremer mit diesem Tabu und vergleicht unumwunden die sowjetische Kunst mit der Nazi-Kunst. Um das zu belegen, bezieht er sich direkt auf den mit einem Kolossalbild in Berlin zu Gast weilenden Künstlerkollegen Jefanow, der sich an der Diskussion im VBKD beteiligt. Jefanow verweist auf Gerhard Kurt Müllers *Bildnis eines Offiziers der kasernierten Volkspolizei* (1953) – einem Rollenporträt, das die Übernahme der Macht im Staat durch die Arbeiterklasse dokumentiert – als Musterbild des Sozialistischen Realismus, worauf Cremer antwortet, wenn der sowjetische Genosse sich vor einem solchen Bild voller Respekt verneige, dann sei das für „unsere Entwicklung schon fast gefährlich. [...] Weil das für uns zunächst einmal Nazi-Malerei ist. (Prof. Jefanow: Das kann ich nicht sehen.) Das ist es ja eben, das ist für sowjetische Künstler nicht zu sehen; aber für uns ist es zu sehen."[38]

Otto Nagel und Otto Dix, 1963
Bundesarchiv, Bild 183-45912-0002/Zimontkowski

Nagel als Präsident der Deutschen Akademie der Künste

In seiner Eigenschaft als Vizepräsident der DAK reaktiviert Nagel 1955 die Tradition der Frühjahrsausstellungen der Preußischen Akademie und lädt zur ersten Ausgabe vom 21. Mai bis 30. Juni dazu auch Künstlerkollegen aus Westdeutschland und dem Ausland ein, die in der DDR noch nicht ins sozialistisch-realistische Weltbild passen, wie etwa Otto Dix, Frans Masereel, Willi Geiger, Otto Herbig, Karl Hubbuch, Gerhard Marcks oder Franz Radziwill. Auf der III. Deutschen Kunstausstellung in Dresden hatte die Jury noch vor allem westdeutsche Künstler wegen ihrer „formalistischen Arbeiten" ausgesondert. Nagel versucht, die Kontakte mit den Kollegen in Westdeutschland wieder aufzunehmen, u. a. mit dem 1953 ausjurierten Radziwill. Am 4. März 1955 schreibt er an ihn: „Sie werden vielleicht einen Schreck kriegen und an Dresden denken. Ich tue es auch, darf Ihnen aber versichern, dass zwischen Dresden und heute ein großer Unterschied besteht. Die Dinge, die die peinlichen Vorkommnisse bei der damaligen Ausstellung verursachten, gehören der Vergangenheit an, und gerade die Deutsche Akademie war es, die ihren Einfluss geltend machte, damit sich so etwas nicht wiederholt. Wir haben seitdem ein Kulturministerium, das geführt wird von Künstlern und Dichtern,

Gerhard Kurt Müller,
Bildnis eines Offiziers der kasernierten Volkspolizei, 1953

Minister persönlich. (AdK, Berlin, AdK (Ost), Nr. 17), in: Stiftung Archiv der Akademie der Künste 1993 (vgl. Anm. 27), S. 41. – Am 17.9.1956 informiert Nagel Becher persönlich über die Besetzung der Sektionen und bittet um ein Gespräch, um über „unser Verhältnis zur Westakademie" zu sprechen, „in deren Verhältnis zu uns und umgekehrt sich sehr viel Interessantes ereignet hat" (AdK, Berlin, AdK (Ost), Nr 75, ebd., S. 61). Mit Bechers Tod am 11.10.1958 (siehe Fotografie von der Totenwache) verliert Nagel seinen Bündnispartner in der Regierung. Nachfolger wird Alexander Abusch, der seit 1954 stellvertretender Kulturminister ist, und bereits Ende 1956 intern die Leitung im Ministerium inne hat, nachdem Becher in Ungnade gefallen ist nach seinem gescheitertem Versuch, seinen alten Freund Georg Lukács aus Ungarn herauszuholen.

38 Neuer Kurs und die Bildenden Künste, Sonderausgabe von Das Blatt, Mitteilungsblatt des VBKD, Berlin 1954, S. 138–140.

Otto Nagel in der Deutschen Akademie der Künste 1957
Foto: unbekannt,
Akademie der Künste, Berlin, Otto-Nagel-Archiv, Fotos 52

und eben deshalb geschaffen wurde, damit die Dinge der Kultur von den Kulturschaffenden in die Hand genommen werden, was damals in Dresden leider gar nicht der Fall war. Dieses musste ich Ihnen gegenüber klarstellen. Die Deutsche Akademie ladet Sie selbstverständlich juryfrei ein, als Gast unterliegen Sie keiner Jury."[39]

Nagels Bemühungen führen dazu, dass sich neben Radziwill, Otto Griebel, Karl Hubbuch[40], Gerhard Marcks, Ludwig Meidner und Karl Schmidt-Rottluff an diesen Akademie-Ausstellungen beteiligten.

Ein weiterer Erfolg für Nagel ist die Realisierung der Ausstellung „Der Graphische Zyklus von Max Klinger bis zur Gegenwart. Ein Beitrag zur Entwicklung der deutschen Graphik von 1880 bis 1955" (10. März bis 29. April 1956), die Gerhard Pommeranz-Liedtke zusammenstellt, begleitet von einem repräsentativen Katalog. In der Auswahl finden sich neben Baluschek, Hasse, Nagel und Kollwitz zum erstenmal in der DDR auch Arbeiten von Max Pechstein, Willi Jäckel, Otto Dix, Max Beckmann, George Grosz, Otto Mueller, Karl Hubbuch, Otto Pankok, Frans Masareel, Oskar Kokoschka und Karl Hofer.

Als einen Gewinn betrachtet Nagel auch die Retrospektive für den italienischen Künstler des Realismo, Gabriele Mucchi, 1955 in der DAK. Auf Initiative von Heinrich Ehmsen wird Mucchi ein Jahr später, 1956, auf eine Gastprofessur an die Hochschule für bildende und angewandte Kunst in Berlin-Weißensee berufen. Mit dem italienischen Realisten teilt Nagel Grundüberzeugungen wie das Bestehen auf der Wahrhaftigkeit der Kunst, im Gegensatz zu den gemalten Euphemismen des Sozialistischen Realismus. Der Beginn von Mucchis Lehrtätigkeit fällt in die Zeit unmittelbar nach der Niederschlagung des Aufstandes in Ungarn. Die Studenten hatten genug vom sowjetisch ausgerichteten Realismus, „sie wollten nichts mehr davon hören. […] Aber das schlagendste Argument […] war die Tatsache, dass der ‚Herr Professor' vom ersten Tag an den Studenten seine Auffassung zum Realismus nicht theoretisch darbot, sondern indem er vor ihnen malte, was keiner der Professorenkollegen tat."[41]

Nach einem Politbüro-Beschluss wird Nagel am 12. April 1956 zum Präsidenten der Deutschen Akademie der Künste zu Berlin gewählt, in der Hoffnung auf den linientreuen „Genossen Professor". In der neuen Rolle, Höhepunkt seiner kulturpolitischen Karriere, wird Nagel allerdings die Genossen im Politbüro enttäuschen. Die Öffnung der DAK für Künstler aus dem In- und Ausland und die Förderung junger Künstler ist ihm wichtiger als seine Loyalität zur Partei.

In seiner Amtszeit nimmt die DAK 47 neue Mitglieder auf, zu denen noch 26 „korrespondierende Mitglieder" aus dem nichtsozialistischen Ausland hinzukommen, wie Diego Rivera, Otto Dix, Frans Masareel, David Alfaro Siqueiros. Dazu kommen Komponisten, Pan-

39 AdK, Berlin, AdK (Ost). Den Hinweis verdankt der Verfasser Michael Krejsa.

40 Karl Hubbuch schreibt am 14.3.1955 an Nagel: „Recht freundlichen Dank für Ihre Einladung zur Frühjahrsausstellung/Findet diese in Berlin oder in Dresden statt? – Ich werde mich gerne mit 2 Bildern und einer Reihe graphischer Blätter beteiligen. Bis jetzt habe ich, außer der Ihrigen, noch keine Einladung von dort erhalten/ …" (Akademie der Künste, Berlin, Otto-Nagel-Archiv, Nr. 150).

41 Gabriele Mucchi, Verpaßte Gelegenheiten. Ein Künstlerleben in zwei Welten, Berlin 1997, S. 329.

42 Nagel trifft mit seiner Anfrage bei Dix zunächst nicht auf Begeisterung. Dix schreibt am 12.2.1955 an Nagel: „Eine trübe Erfahrung, die ich bei der letzten Deutsche Kunstausstellung in Dresden machte […] müßte eigentlich genügen, um mich davon abzuhalten, wieder bei Ihnen auszustellen […] Ich verstehe garnicht, daß Sie Leute einladen, von deren Arbeiten Sie doch wissen, daß sie als formalistisch abgelehnt werden. […] Hochachtungsvoll Dix." (AdK, Berlin, ONA, Nr. 121).

tominen und Filmemacher wie Benjamin Britten, Marcel Marceau und Vittorio de Sica.

Als erster westdeutscher Künstler bekommt der Münchner Maler Willi Geiger 1956 eine Einzelausstellung in der DAK. 1957 folgt eine Retrospektive von Otto Dix, die 350 Gemälde und Papierarbeiten zwischen 1919 und der Gegenwart umfasst und von einem Katalog begleitet wird.[42] Vor allem die Kinderbilder von Dix berühren den Maler, der selbst wunderbare Kinderbilder gemalt hat. In seiner Eröffnungsrede führt Nagel aus: „Gerade in vielen seiner letzten Arbeiten, die wir erfreulicherweise in der Ausstellung hängen haben, scheint es das Kind zu sein, auf das sich die ganze Hingabe des Malers konzentriert."[43]

Als Präsident bemüht Nagel sich jetzt mitten im Kalten Krieg auch um einen guten Arbeitskontakt zur 1954 gegründeten Westberliner Akademie der Künste und ihrem Präsidenten, dem Architekten und vormaligen Stadtbaurat Großberlins, Hans Scharoun. Seine Antwort an den „lieben und hochgeschätzten Kollegen Scharoun" auf dessen Einladung zur Eröffnung des neuen Akademiegebäudes von Werner Düttmann im Hansaviertel 1960 zeigt sein taktisches Geschick: „Wir alle freuen uns ehrlich und aufrichtig, daß die westberliner Akademie nunmehr ein würdiges Gebäude hat und wir alle glauben auch daran, daß dadurch in der Zukunft noch günstigere Voraussetzungen für eine enge Zusammenarbeit zwischen uns gegeben sind." Nach dieser Einleitung bittet er um Verständnis, dass er und andere Mitglieder der DAK nicht persönlich erscheinen können. „In der jetzigen schwierigen politischen Situation möchten wir alles vermeiden, was das gute Verhältnis, das in den letzten Jahren zwischen unseren beiden Akademien hergestellt wurde, beeinträchtigen könnte. [...] Wenn wir also an Ihrer Feier nicht teilnehmen, einfach deshalb, weil wir die weitere Zusammenarbeit nicht verbauen möchten, damit unser gutes Verhältnis nicht ein Opfer des kalten Krieges wird."[44]

Otto Nagel beteiligt sich auch an der Meisterschülerausbildung, die im Spätsommer 1950 an der DAK eingeführt wird.[45] Über die Bedeutung der Meisterschüler diskutiert er mit Fritz Cremer, der seit Januar 1961 in seiner Position als Ständiger Sekretär der Sektion Bildende Kunst dafür zuständig ist. Auf der Plenartagung vom 10. Februar 1961 plädiert Cremer energisch für „ein Mindestmaß von Qualität auf allen Gebieten der Kunst".[46]

Unter der Obhut von Cremer, Ehmsen und Nagel geht aus deren Meisterschülerklassen die später „Berliner Schule" genannte Gruppierung mit ihren dunklen Bildern hervor. Im Kern sind das Manfred Böttcher (Meisterschüler von Ehmsen), Harald Metzkes (Meisterschüler von Nagel), Ernst Schroeder (Meisterschüler von Nagel und Ehmsen) und Horst Zickelbein (Meisterschüler von Ehmsen). 1963–1966 kommt noch Ronald Paris als Meisterschüler von Nagel dazu.

Harald Metzkes erinnert sich, dass die malenden Meister damals bei seiner Bewerbung Bedenken haben wegen seiner unkonventionellen Malerei. „Sie sollten ja nicht die falschen Leute mit Stipendien versehen. Das war der Vorwurf, der in der Luft hing. Da kam der Gustav Seitz dazu und sagte, der hat Steinmetz gelernt, wenn ihr ihn nicht wollt, kann er zu mir kommen. Da sagte der Otto Nagel schnell, na dann nehme ich ihn."[47] Es entwickelt sich ein vertrauensvolles Verhältnis zum Meister. Nagel habe ihn gewähren lassen, nie versucht, ihn in eine bestimmte Richtung zu lenken. Metzkes schildert ihn als eine „ganz zarte, zurückhaltende Natur, so hochgewachsen wie er war. Er war eher ein stiller Mann, ein vornehmer, nobler Mensch, der eher passiv bleiben will. Nach außen machte er immer einen gesammelten Eindruck".[48]

Die spätere Berliner Schule verdankt viel den Filmen des Neorealismus, die man vor dem Bau der Mauer an der Filmbühne am Steinplatz in unmittelbarer Nähe des Bahnhofs Zoo sehen kann. Es ist kein Zufall, dass Harald Metzkes' Gemälde *Die schwere Stunde*

43 AdK, Berlin, AdK (Ost), Nr, 16.

44 Otto Nagel, Brief an den Präsidenten der Akademie der Künste Professor Hans Scharoun vom 16.6.1960.

45 Nagel betreut insgesamt acht Meisterschüler: Horst Bartsch, Dietrich Kaufmann, Siegfried Korth, Harald Metzkes, Ronald Paris, Ernst Schroeder, Rolf Schubert und Helmut Symmangk.

46 AdK, Berlin, AdK (Ost), Nr. 119, in: Stiftung Archiv der Akademie der Künste 1993 (vgl. Anm. 27), S. 157.

47 Harald Metzkes im Gespräch mit dem Autor am 17.7.2022 in Altlandsberg.

48 Ebd.

49 In einem ersten Bericht als Sektionsleiter auf der Plenartagung vom 10.2.1961 muss Cremer feststellen, dass es nur noch zwei Meisterschüler gibt. „Wir haben beobachtet, daß es durch die immer deutlicher werdende Stimmung gegen die Akademie langsam so wird, daß die Schüler der Hochschulen, selbst wenn sie ihr Diplom erhalten, gar nicht mehr daran denken, sich um eine Meisterschülerschaft in der Akademie zu bemühen, weil es ein schiefes Licht auf sie wirft [...]." (AdK, Berlin, Adk (Ost), Nr. 119/2, Bl. 2ff.)

Harald Metzkes,
Die schwere Stunde, 1957,
Öl auf Leinwand, 80,5 x 130,5 cm,
Museum der bildenden Künste,
Leipzig

(1957) wie eine Filmszene aus einem sizilianischen Drama wirkt, das ländliche Armut und existenzielle Tragik zur herben Schönheit des einfachen, aber würdevollen Lebens stilisiert. Konkreter Anlass für das Gemälde ist nach Aussage des Malers jedoch die schwere Stunde vor der Geburt eines seiner Kinder Anfang der 1950er Jahre in Bautzen. Von einem erhöhten Standpunkt aus schauen wir auf die schlichten Dielen eines karg möblierten Zimmers; seitlich abgewandt von der im Hintergrund im Bett liegenden hochschwangeren Frau sitzt der Künstler mit geschlossenen Augen. Jahre nach dem Ereignis der schweren Geburt in der Oberlausitz verleiht er seiner Frau im Ostberliner Meisterschüleratelier – mit den Filmbildern Vittorio de Sicas – die strenge Schönheit einer Sizilianerin. Über diese Filme wird er sich seiner eigenen Welt bewusst, transzendiert die Ärmlichkeit der Nachkriegsjahre zum herben Charme des mediterranen bäuerlichen Lebens.

Die strenge Stilisierung der Figuren im Sinne des italienischen Realismo ist neben der Bevorzugung dunkler Farbtöne ein Wesenszug dieser „schwarzen Periode" unter den Meisterschülern in Berlin, die in Ablehnung der Abstraktion an der Figur festhalten wollen. Die skeptische, existenzialistisch gestimmte „schwarze Malerei" dieser Malerfreunde ist ein Akt der Selbstbehauptung gegen die Vereinnahmung ihrer Kunst durch eine Ideologie der Zwangsbeglückung.

Dieser Generation junger Künstler will Cremer die DAK öffnen und die Ausbildung der Meisterschüler attraktiver machen.[49] Er verteidigt die Meisterschüler der DAK als eine im Grunde loyale, aber auch „mit sehr viel echter Skepsis" ausgestattete, neue Generation, die die Welt, in der sie lebte, „buchstäblich in Trümmer" gehen sah oder „in sie hineingeboren" wurde. Überzeugt, dass die DDR gerade die „sogenannten schwierigeren jungen Künstler" braucht und „nicht die Musterknaben, die Langweiligen, Wohlgefälligen",[50] verschafft er ihnen mit der am 15. September 1961 eröffneten Ausstellung „Junge Künstler – Malerei" einen ersten öffentlichen Auftritt.[51]

Die Eröffnung löst einen Sturm der Empörung und Kritik aus, mit fingierten Protestbriefen von Werktätigen und einer Pressekampagne.[52] Noch am Eröffnungstag hängt Alfred Kurella eigenhändig Gemälde ab, die ihm nicht gefallen, wie Stephan Hermlin auf einer Plenartagung der AdK am 31. Mai 1990 berichtet.[53] Die zeittypische Stimmung der schwarzen, existenziellen Bilder dieser jungen Generation empfindet die Kunstkritik als depressiv, fortschrittsfeindlich und dekadent. Ein Kritiker schreibt: „[D]ie vertoteten Landschaften von Schroeder, das verkümmerte Buffetfräulein von Böttcher und die chinesischen Trauma von Metzkes (Anspielung auf seine Chinareise 1957, d. Verf.) verdeutlichen die Anklänge [...] an den Existenzialismus, zu dessen Pessimismus in Fragen des Daseins man sich scheinbar hingezogen fühlt. Die gleichsam aus der Konserve geschaffenen Werke, das Depressive ihrer menschlichen Entleerung, verdeutlicht das Abseitige ihrer künstlerischen Position, in die sie während ihres Aufenthaltes an der Akademie geraten sind."[54] Den Meisterschülern Manfred Böttcher und Ernst Schroeder wird unterstellt, ihre Bilder seien ein „erbärmliche[r] Aufguss künstlerischer Anschauungen des französischen Miserabilisten Buffet".[55]

Nagels Meisterschüler Metzkes und seine Berliner Kollegen Böttcher und Schroeder setzen sich bewusst von der narrativen, histori-

50 „Neue Kunst braucht keine Musterknaben", Interview in: Sonntag, Nr. 28, 9.7.1961, zit. n.
Bittere Früchte. Lithographien von Meisterschülern der DAK zu Berlin 1955–1965, hg. von Angela Lammert, Gudrun Schmidt, Akademie der Künste, Berlin 1991, S. 21, fortan Lammert und Schmidt 1991.

51 Von 680 eingeladenen Künstlern, unter denen – entsprechend der Forderung des Bitterfelder Weges – auch Autodidakten sind, reichen 326 Arbeiten ein, von denen die Jury der Sektion Bildende Kunst der DAK (Walter Arnold, Rudolf Bergander, Fritz Cremer, Heinrich Drake, Heinrich Ehmsen, John Heartfield, Hans Theo Richter und Klaus Wittkugel) 118 Werke von 71 Künstlern auswählt. (Vgl. Kathleen Krenzlin, Die Akademie-Ausstellung „Junge Kunst" 1961 – Hintergründe und Folgen. In: Kahlschlag. Das 11. Plenum des ZK der SED 1965. Studien und Dokumente, hrsg. von Günter Agde, 2. erweiterte Auflage, Berlin 2000, S. 66–78, hier S. 69f., fortan Krenzlin 2000). – Von den Meisterschülern der später „Berliner Schule" genannten Gruppierung sind vertreten: Manfred Böttcher, Harald Metzkes, Roland Paris, Hans Vent (Schüler von Mucchi), Horst Zickelbein.

52 Über die zusammengeklebten Zeitungsausschnitte der Kritiken zeichnet Cremer einen sterbenden Pegasus.

sche Stoffe aufgreifenden Leipziger Schule ab, auf die Kurella und die SED ihre kulturpolitischen Hoffnungen gebaut haben, und entwickeln ihre Kompositionen entschieden aus der Form und der Farbe heraus. Sie erweisen sich im Nachhinein als Seismographen für die Doppelbödigkeit der DDR-Gesellschaft.

Auf einer von der Akademie anberaumten Sitzung am 5. Oktober 1961, an der Abusch, Kurella und Bentzien teilnehmen, wird wahrscheinlich entschieden, Fritz Cremer Ende des Jahres als Sekretär der Sektion Bildende Kunst abzulösen und Rudolf Bergander als Nachfolger einzusetzen. Auf einer Sitzung bis tief in die Nacht des 10. Oktobers im Gebäude der DAK am Robert-Koch-Platz kommentiert Cremer die offensichtlich fingierten kritischen Briefe der Betriebsbelegschaften nur dreimal mit der Frage: „Ist das aufrichtig?"[56] Otto Nagel leitet die Sitzung, an der auch Horst Jähner, Alfred Kurella, Kurt Liebig (Ministerium für Kultur), Jürgen Böttcher, Paul Dessau, Helene Weigel und Arnold Zweig teilnehmen. Er behauptet, nicht mit allem einverstanden zu sein, was in der Ausstellung gezeigt wird, aber erklärt dann: „[I]hr Kritiker macht es Euch auch ein wenig leicht. Nehmt uns Künstler ernst und belehrt uns nicht, wir sind erwachsen."[57] Am 5. Januar 1962 tritt Cremer in der Sektionssitzung von seinem Amt als ständiger Sekretär zurück.[58]

In den kommenden Wochen eskaliert der Streit um die Ausstellung, den die SED-Führung zu einer Grundsatzdebatte um den künftigen Kurs der Akademie ausweitet, in der Otto Nagel zunehmend isoliert und schließlich zum Rücktritt von seinem Amt als Präsident gedrängt wird. Am 2. Februar schreibt Otto Nagel daher an Alexander Abusch einen Brief und bittet um seine sofortige Beurlaubung bis zur Wahl eines neuen Präsidenten. Er begründet diese Entscheidung mit dem Ausschluss seiner Person aus den laufenden Debatten um die Neuorientierung der DAK.

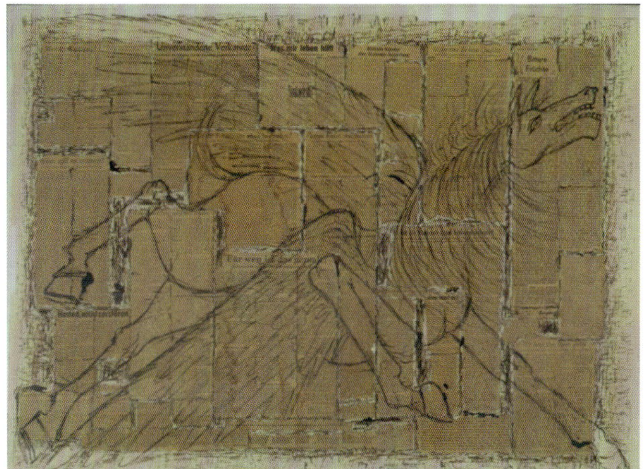

Fritz Cremer, *Wandzeitung*, 1961, Bleistiftzeichnung über Zeitungsausschnitten, 72,5 x 101,5 cm, Akademie der Künste, Berlin, Kunstsammlung, Inv.-Nr.: KS-Zeichnungen HZ 1963

Fritz Cremer hat die Kritiken zur Ausstellung „Junge Künstler. Malerei", 1961 als Wandzeitung collagiert und mit der Zeichnung eines in die Knie gehenden Pegasus versehen und in seinem Atelier am Pariser Platz aufgehängt.

„Teurer Ministerpräsident!

Nach gründlichem Überlegen bitte ich Sie, mich aus meiner Funktion als Präsident der Deutschen Akademie der Künste zu Berlin bis zur Wahl eines neuen Präsidenten zu beurlauben bzw. aus allen Verpflichtungen, die über das rein Repräsentative hinausgehen zu entbinden. Ich möchte bei dieser Gelegenheit feststellen, dass meine erste Wahl als Präsident im April 1955 erfolgte, die Wiederwahl im September 1959. Da die Amtsperiode nach dem Statut drei Jahre beträgt, ist die Neuwahl des Präsidenten sowieso in absehbarer Zeit erforderlich. Ich bin bereit, falls Sie es für nötig halten, meine Funktion bis zur Wahl eines anderen Präsidenten langsam auspendeln zu lassen.

Die Gründe für meine zu Beginn vorgetragene Bitte sind sehr einfach. Es hat sich um die Akademie eine Situation entwickelt, die es mit nicht erlaubt, weiterhin die politische Verantwortung, die ich ja

53 Siehe Krenzlin 2000 (vgl. Anm. 51), S. 75.

54 Horst Jähner, „Die einen und die anderen. Über die Situation der jungen Künstler in Berlin", in: Junge Kunst 2.Jg. 1958, Heft 6, S. 40.

55 U. Vogel, Wem soll es nutzen?, in: Berliner Zeitung vom 17.10.1961. Zit. n. Lammert und Schmidt 1991 (vgl. Anm. 50), S. 22. – Tatsächlich war die Begegnung mit Bernard Buffet für Schroeder „ein Schock, das ist klar. Das hat mich irgendwie sehr bestätigt.[...] Buffet war schon deshalb eine Koryphäe, weil er sich an der Realität orientiert hat. (Ernst Schroeder im Interview mit Matthias Flügge, in: Matthias Flügge und Bernd Heise (Hg.), Ernst Schroeder 1928–1989, Dresden 2014, S. 9).

56 Zit. n. Bilderkeller. Wandmalereien im Keller der Akademie der Künste am Brandenburger Tor, hg. von Angela Lammert und Carolin Schönemann im Auftrag der AdK, Berlin 2019, S. 161.

57 Ebd., S. 164.

58 In einem Schreiben an die DAK hatte Cremer bereits am 30.10.1961 erklärt: „Die letzten Ereignisse im Zusammenhang mit der Ausstellung ‚Junge Künstler' veranlassen mich, meine Tätigkeit als Sekretär der Sektion Bildende Kunst der Deutschen Akademie der Künste niederzulegen. Meine Bemühungen zu helfen, auch die praktisch-theoretischen Probleme der sich entwickelnden sozialistischen Kunst zu

bisher zu tragen hatte, weiter zu übernehmen. Die politische Entwicklung unserer Republik haben Massnahmen nötig gemacht [gemeint ist der Mauerbau am 13. August 1961, d. Verf.], die auch die zukünftige Arbeit der Akademie bestimmen werden. Es ist meines Erachtens unmöglich, daß solche Massnahmen beraten und beschlossen werden, ohne daß der Präsident der Akademie hinzugezogen oder aber gehört bzw. unterrichtet wird. Dies gilt sowohl für die Aufstellung des Arbeitsplanes als auch für Beratungen auf politischer Ebene. Der Perspektivplan ist mir erst vorgestern, nachdem er fix und fertig war, durch den Direktor Genossen Dr. Hossinger zur Kenntnis gebracht worden. Der Plan ist aufgestellt worden, ohne vorher die eventuelle Reaktion auf unsere westberliner und westdeutschen Mitglieder zu erwägen bzw. ohne die gegebenen eventuellen Folgen von vornherein in Rechnung zu stellen.

Seit langem sollte im ZK der Partei die Frage unserer Akademie und ihre zukünftige Aufgabenstellung in der neuen Situation diskutiert und festgelegt werden. Ich hielt es für selbstverständlich, daß ich als Genosse, der die Dinge der Akademie und ihre Möglichkeiten wohl wie kein anderer einschätzen und beurteilen kann, zu einer solchen Beratung hinzugezogen werde. Nun erfahre ich durch alle möglichen unverbindlichen Äußerungen, daß am Freitag, den 26.1.1962 in der Kulturkommission [die Alfred Kurella leitet, d. Verf.] beim ZK die vorgesehene Besprechung stattfand. [...] aber ich habe das Recht, als alter erfahrener Genosse, der nunmehr seit 1908 ständig Funktionen in der Arbeiterbewegung bekleidete, festzustellen, daß ich über mein Nichthinzugezogenwerden höchst verwundert bin und noch mehr über die Verschwiegenheit der Teilnehmer mir gegenüber. [...]

Ich kann nur Genosse Dr. Hossingers Schweigen mir so erklären, dass er den Auftrag hatte, mich nicht zu informieren. Ich betrachte diese ganze Verhaltensweise als ein Mißtrauen mir gegenüber, das ich zu meinem Bedauern durch die zu Beginn dieses Briefes vorgetragene Bitte beantworten möchte.

Ich hoffe, daß Sie Ihre Zustimmung erteilen. Dies umso mehr, da ich als 67-Jähriger, der jetzt 6 Jahre hintereinander die Funktion des Präsidenten der Akademie ausübt und vorher seit 1945 seiner eigentlichen künstlerischen Tätigkeit nur noch als ‚Sonntagsmaler' nachgehen konnte, nun noch ein wenig an seine eigentliche künstlerische Aufgabe denken möchte. Präsident der Akademie in unserer Republik sein, ist sicher eine hohe Ehre, aber bestimmt kein Honigschlecken. [...] Aber jetzt ist bei mir das Faß übergelaufen [...] Ich hoffe, dass die Massnahmen, die im Zusammenhang mit der zukünftigen Tätigkeit der Akademie getroffen werden, berücksichtigen, dass die Akademie sich aus Künstlerpersonal zusammensetzt, die, bei aller Bereitwilligkeit den politischen Notwendigkeiten gegenüber, Menschen sind."[60]

Dieser Brief wird hier so ausführlich zitiert, weil er die entscheidende Zäsur in Nagels Nachkriegskarriere darstellt. Die tiefe Enttäuschung des Künstlers über anderthalb Jahrzehnte, die er im Dienste der Partei und der DDR in kulturpolitisch leitenden Positionen verbracht hat, statt an der Staffelei zu stehen und Bilder zu malen, kommt hier deutlich zur Sprache.

Als Antwort auf seinen Brief wird Nagel am 8. Februar zu einer Unterredung mit dem Stellvertreter des Vorsitzenden des Ministerrates Alexander Abusch und dem neuen Direktor der Akademie, Karl Hossinger, gebeten, von der es ein Protokoll gibt. Obwohl Nagel nicht an der Jurysitzung teilgenommen hatte wegen eines Kuraufenthaltes, also keinen Einfluss auf die Auswahl nehmen konnte und daher der Ausstellungseröffnung ferngeblieben war, bleibt Abusch bei seinem Vorwurf, Nagel habe es mit seinem unentschiedenen Verhalten versäumt, sich klar zum sozialistischen Realismus zu positionieren, der eine „Grundfrage unserer Kulturpolitik" beinhaltet.[61]

vertiefen, sind in der Presse mit wütenden Ausfällen, hämischen Unterschiebungen und bewussten Unaufrichtigkeiten gegen meine Person beantwortet und offiziell geduldet worden, denen gegenüber ich mich machtlos ausgeliefert fühle. Ich sehe mich daher ausserstand gesetzt, meiner Überzeugung und Verantwortung gemäß die Leitung der Sektion weiterzuführen" (SAPMO-BArch IV2/2026/28, Bl. 224). In einem Schreiben an Nagel vom 17.11.1961 nimmt Cremer die Kündigung zurück und erklärt, er wolle abschalten und wünsche eine Vertretung (Bl. 225).

59 Alexander Abusch (1902–1982) ist von Dezember 1958 bis Februar 1961 Minister für Kultur der DDR und von 1961–1971 als stellvertretender Vorsitzender des Ministerrates zuständig für Kultur und Erziehung.

60 AdK, Berlin, AdK, ONA, Nr, 373.

Zum Schluss erklärt Genosse Nagel, „daß er sich gesundheitlich nicht in der Lage fühle, sich jetzt in der Akademie noch mit dieser Frage zu befassen. Er müsse jetzt unbedingt einige neue Arbeiten in seinem Atelier schaffen, anstatt eine zweifelhafte Rolle in der Akademie zu spielen, die dadurch entstanden sei, daß er zur Sitzung der Kulturkommission beim Politbüro, auf der über die Fragen der Akademie beraten wurde, nicht hinzugezogen worden sei, was sich schon herumgesprochen habe.

Genosse Abusch antwortet darauf, daß diese Frage doch schon in der persönlichen Unterredung geklärt worden sei."[62] In dem erwähnten Vieraugengespräch zwischen Abusch und Nagel, über das Abusch am 22. Februar Alfred Kurella ein „Kurzprotokoll" zukommen lässt, führt Abusch in seinem Begleitschreiben aus: „Ich habe ihm gesagt, daß er in Ehren ausscheiden soll, damit er seine Tätigkeit als Künstler, der große revolutionäre und realistische Traditionen für unsere Republik verkörpert, fortsetzen kann. Im Verlaufe des Gespräches überzeugte sich Genosse Nagel, daß dieser Weg der richtige ist und er sein Amt diszipliniert bis zur Neuwahl weiterführen soll."[63]

Nachfolger wird am 30. Mai 1962, sehr zum Ärger von Otto Nagel, der Parteisekretär der DAK, der proletarische Schriftsteller Willi Bredel, Mitglied des Bundes proletarisch-revolutionärer Schriftsteller.[64] Am 2. Mai 1961 hat Nagel ihm noch zu seinem 60. Geburtstag gratuliert. Bredel tritt sein Amt an mit der Zielsetzung der SED, die DAK zu einer „Sozialistischen Akademie" weiterzuentwickeln.[65]

Als Vizepräsident unter Bredel fühlt Nagel sich wie Luft behandelt und so gedemütigt, dass er 1964 Abusch wieder um seinen Rücktritt, dieses Mal vom Vizepräsidentenamt bitten muss. Dieser Rücktritt wird offensichtlich nicht angenommen, da Nagel nominell bis zu seinem Tode dieses Amt bekleidet.[67]

Die von Abusch im Gespräch vom 8. Februar angesprochenen „ideologischen Probleme" werden in der undatierten [27.2.1962] „Vorlage für das Politbüro. Die nächsten Aufgaben zur sozialistischen Entwicklung der Deutschen Akademie der Künste" (ausgearbeitet von Alexander Abusch unter Mitarbeit von Walter Arnold, Willi Bredel, Wolfgang Langhoff, Hans Rodenberg, Karl Hossinger) erstmals konkreter ausgeführt, um mit Otto Nagel und dem Präsidium sowie einigen Mitgliedern abrechnen zu können. Man wirft Ihnen vor, bis zum 13. August 1961 als „ideologische Grenzgänger" im „Geiste der ideologischen Koexistenz" gewirkt zu haben. Auf Nagels Bemühungen um korrespondierende Mitglieder und Ausstellungen westdeutscher Künstler seiner Generation und seine Kooperation mit dem Westberliner Pendant der Akademie zielen Formulierungen wie die, dass manche Mitglieder glauben, „daß die Akademie infolge ihres ‚gesamtdeutschen Charakters' über der Republik stehe, sich nicht auf die Deutsche Demokratische Republik beschränken könne, sondern eine ‚gesamtdeutsche' Linie verfolgen müsse. Aus dieser ideologischen Wurzel entstanden auch falsche Tendenzen der ideologischen Koexistenz in den Beziehungen zu den westdeutschen Akademien vor allem zur Westberliner Akademie. Es wurde trotz wiederholter warnender Hinweise von Seiten der Partei und der Regierung nicht gesehen, daß die Westberliner Akademie der Künste in der ‚Frontstadt Westberlin' ein Instrument der Brandt-Politik ist [...] Präsident Genosse Otto Nagel hat immer nur diese einzelnen fortschrittlichen Persönlichkeiten gesehen, aber ignoriert, daß die Westberliner Akademie von vornherein eine Kampfgründung gegen unsere Deutsche Akademie der Künste gewesen ist – und die Entwicklung der Westberliner Akademie, besonders nach dem 13. August 1961, hat diese ihre Rolle noch schärfer verdeutlicht."[68]

61 Protokoll 8.2.1962, SAPMO DY 2/2026/29, zit. n. Stiftung Archiv der Akademie der Künste 1993 (vgl. Anm. 27), S. 164–166, hier: S. 165.

62 Ebd., S. 166.

63 Alexander Abusch, Brief an Alfred Kurella vom 22.2.1962, Bundesarchiv, IfGA IV 2/2026/29 BA. SAPMO-Barch, DY 30/IV 2/2.026/29.

64 Geboren am 2. Mai 1901 in Hamburg; gestorben am 27. Oktober 1964 in Ost-Berlin, war Bredel zwei Jahre lang Präsident der Akademie der Künste der DDR bis 1964. Seit 1919 Mitglied der KPD, 1923 Teilnehmer des Hamburger Aufstandes, Redakteur der Hamburger Volkszeitung. Im gleichen Jahr Verhaftung wegen Hoch- und Landesverrats. In der Haft schreibt er seine ersten Romane. Im März 1933 wird er von der Gestapo verhaftet und kommt für vierzehn Monate in die sogenannte „Schutzhaft" im KZ Fuhlsbüttel. 1934 Flucht über Prag nach Moskau, Herausgeber der literarischen Zeitschrift Das Wort mit Brecht und Feuchtwanger von 1936 bis 1939. Als Kriegskommissar des Thälmann-Bataillons Teilnahme am Spanischen Bürgerkrieg von 1937 bis 1938. Kämpft ab 1941 in der Roten Armee, 1943 Mitbegründer des Nationalkomitees Freies Deutschland. 1950 ist er Gründungsmitglied der DAK. Im Prozess gegen den mit ihm befreundeten Leiter des Aufbau Verlages, Walter Janka, sitzt er auf der Zeugenbank. Nachdem Janka im

Der Präsident der DAK, Otto Nagel, überbringt Wlli Bredel am 2. Mai 1961 die Glückwünsche der Akademie zu dessen 60. Geburtstag. Bundesarchiv, Bild 183-82730-0001/Irene Eckleben

Juli 1957 verurteilt worden war, lässt Bredel den Freund fallen und übt auf der 33. Tagung des ZK der SED im Oktober 1957 Selbstkritik: Er habe sich von Janka täuschen lassen.

65 Willi Bredel, Die Nationale Aufgabe der Deutschen Akademie der Künste zu Berlin als Sozialistische Akademie der Deutschen Demokratischen Republik, Aus dem Protokoll der außerordentlichen Plenartagung 30. Mai 1962, AdK, Berlin, AdK (Ost), Nr 421, in: Stiftung Archiv der Akademie der Künste 1993 (vgl. Anm. 25), S. 168f. – Fritz Cremer nimmt auf dieser Tagung Stellung zu der Forderung im neuen Arbeitsplan: „Klärung des Begriffs sozialistischer Realismus [...] Ich sehe darin einen Widersinn. Wenn es heißt, daß Unternehmungen und Ausstellungen durchgeführt worden sind, und zwar in der Akademie, die sich gegen den sozialistischen Realismus gerichtet haben, dann muß es also Leute geben, die genau wissen, was das ist, und dann können nicht diese selben Leute der Sektion den Auftrag geben, den Begriff zu klären." (Ebd., S. 171)

66 Am 14.2.1964 teilt Nagel dem Präsidenten Bredel mit, dass er seine Funktion als Vizepräsident niederlegt. „Ich bin nicht bereit, weiterhin mit meinem Namen Dinge zu verantworten, an deren Zustandekommen ich unbeteiligt bin. [...]." (AdK, Berlin, ONA, Nr. 373) – Am 17.2.1964 schreibt Nagel an Abusch und mit gleicher Post an

An zweiter Stelle stehen die Vorwürfe gegen Nagel wegen seiner laxen Behandlung der Ausstellung „Junge Künstler“: „Die falschen, gegen den sozialistischen Realismus gerichteten Tendenzen wurden sichtbar in der Ausstellung ‚Junge Künstler‘ (Malerei) und in der Diskussion, die von der deutschen Akademie der Künste über diese Ausstellung durchgeführt und unter großen Mühen von uns zu einem guten Ende geführt wurde. Dabei trat auch die Konzeptionslosigkeit und schwankende Haltung des Präsidenten der Akademie, Prof. Otto Nagel, hervor, als durch das undiszipliniert erregte Auftreten des Genossen Prof. Cremer die jungen ausstellenden Künstler in eine Stimmung versetzt wurden, die ein Nährboden für Provokationen gegen Partei und Regierung sein konnte. Die vom Genossen Abusch angeforderte Einschätzung der Ausstellung durch die Sektion Bildende Kunst – die Einschätzung durch das Präsidium, obwohl angefordert, erfolgte nicht – ist völlig ungenügend, weil sie keine klare Stellungnahme für den sozialistischen Realismus und gegen die Erscheinungen der bürgerlichen Dekadenz in dieser Ausstellung enthält.“[69]

1962, 1964 und 1965 werden keine neuen Meisterschüler mehr aufgenommen. Erst 1967 kommt es wieder zu einer Ausstellung der Meisterschüler, die nach den Worten Cremers „ein kläglicher Ausdruck“ einer „falschen Kulturpolitik“, eine „konventionelle Ausstellung des 19. Jahrhunderts“ sei. Er appelliert an seine Kollegen, „das verlorene Vertrauen der Akademie bei den jungen Künstlern“ wiederzugewinnen, „das wir damals hatten, als ich den Versuch gemacht habe, diese Ausstellung [„Junge Künstler. Malerei 1961“, d. Verf.] zu machen.“[70]

Auch Mucchis Nichtverlängerung seiner Professur im gleichen Jahr steht im Zusammenhang mit dieser Rollback-Politik nach dem Mauerbau. 1962 wird nicht einmal mehr Mucchis Leserbrief auf Ingrid Beyers im *Neuen Deutschland* gedruckten Artikel „Das Thema schafft noch keinen Realismus“ beantwortet, geschweige denn abgedruckt, der mit persönlichen Angriffen seine Auffassung von Realismus in Frage stellte. Erhard Frommhold, Cheflektor des Verlags der Kunst, bestätigt in einem persönlichen Brief Mucchi in seiner Entgegnung auf Beyer: „So wie die Probleme dargestellt sind, denken alle, außer einer dogmatischen Clique.“[71]

Otto Nagel verteidigt seine Künstlerehre

In seinen letzten Lebensjahren sieht sich Otto Nagel immer wieder gezwungen, seine Künstlerehre zu verteidigen, wofür hier zwei markante Beispiele stehen sollen, die in den Akten des Otto-Nagel-Archivs überliefert sind. Otto Nagel schreibt am 10. Oktober 1964 an Horst Weiß, Sekretär des Zentralrats des VBKD in der Inselstraße, es seien zehn Gemälde von ihm, die für einen eventuellen Ankauf für das neue Staatsratsgebäude zur Auswahl vorgesehen waren, bei ihm abgeholt worden. Nachdem es zu keinem Ankauf gekommen sei, seien aber nur sieben Bilder zurückgekommen. Seine Frau hätte beim Verband angerufen und nach dem Verbleib gefragt, worauf man ihr gesagt habe, man „würde sie für eine beabsichtigte Weihnachtsverkaufsausstellung verwenden, wo vielleicht ein Verkauf möglich wäre. Ich empfinde diese Zumutung als eine unverschämte Frechheit. Ich bin kein Wohlfahrtsempfänger und erfreulicherweise nicht auf solche Verkaufsmöglichkeiten angewiesen. Wenn das der Fall wäre, würde ich einen Strick nehmen und mich erhängen. Daß man für das Staatsratsgebäude nichts gekauft hat, ist unwichtig, aber die Sache mit dem Weihnachtsverkauf ist eine Zumutung ohnegleichen. Begreift man im Verband nicht, daß man mit alten Künstlern [...] so nicht umgehen kann oder ist das sozialistischer Realismus, praktiziert in der Methode der Behandlung von Künstlern? Ich fühle mich nicht nur beleidigt, sondern ich bin auch traurig über einen solchen Zustand!“[72]

den Präsidenten der DAK, Doktor h.c. Willi Bredel: „Seit meiner Wahl zum Vizepräsidenten war diese Funktion nur eine reine Fiktion. Mir wurde in diesen eineinhalb Jahren keinerlei Möglichkeit gegeben, in irgend einer Weise über Präsidiumssitzungen hinaus wirksam zu werden. In diesen eineinhalb Jahren habe ich nicht ein einziges Mal einen Telefonanruf vom Präsidenten erhalten, habe nie sein Zimmer betreten können, bin nie zu einer Arbeit herangezogen worden. In Anwesenheit von Mitarbeitern wurde ich vom Präsidenten brüskiert, er drehte mir den Rücken zu, grüßte mich nicht, ohne daß mir bis heute irgend ein Grund für dieses ungezogene Verhalten bekannt ist. [...] Fest steht, daß ich in meiner Funktion eine geradezu lächerliche Figur abgebe und bei einer Fortsetzung dieses Verhältnisses meinen guten Namen und guten Rat ernsthaft gefährde. [...] Ich bitte mich von meiner Funktion zu entbinden.“ (Stiftung Archiv der AdK, Otto-Nagel-Archiv, 373) – Abusch antwortet Nagel am 25.2.1964: „Ihren Brief vom 17.2.64 [...] habe ich erhalten [...] kann ich Ihren Vorschlag eines Rücktrittes als Vizepräsident nicht zur Kenntnis nehmen. Das normale Verfahren zur Klärung von Unstimmigkeiten besteht darin, daß Sie mit dem gewählten Leiter der Gruppe der Parteimitglieder des Plenums, Genosse Prof. Alfred Kurella, die Angelegenheit besprechen mit dem Ziel, dann in einem gemeinsamen Gespräch mit den Genossen Kurella und Bredel die Klärung herbeizuführen. [...].“

Ausstellungseröffnung in der Ladengalerie 1966 mit Otto Nagel und Prof. Dr. Herbert Freiherr von Buttlar.
Foto: unbekannt
Akademie der Künste, Berlin, Otto-Nagel-Archiv, Fotos 50.2

Ein anderer Fall bezieht sich auf seine 1964 aufgenommenen Kontakte zur „Association Internationale des Arts Plastiques" (AIAP) in Amsterdam.[73] Nagel regt für die Kooperation die Bildung eines Nationalkomitees der Bildenden Künstler der DDR an, das sich um Aufnahme in diese Association bewirbt.

Nun hatte offensichtlich der Sekretär im Zentralvorstand des VBKD, Horst Weiß, Nagel angeschrieben, um seine Chefin Lea Grundig auf die Delegationsliste für eine Reise nach Tokio setzen zu lassen. Dazu führt er alle Verdienste der VBKD-Präsidentin auf.

Nagel antwortet: „[Die] können mich in meiner Haltung nicht beeindrucken. [...] Gewiß unterscheidet sich die Genossin Grundig in einer Hinsicht von den übrigen Mitgliedern des Nationalkomitees: Sie hat nämlich niemals an einer Besprechung, Sitzung oder Vollversammlung des Nationalkomitees teilgenommen. Ich kann mir die Aufgeregtheit der Leitung des Verbandes nur so erklären, daß bisher niemand gewagt hat, eine andere Meinung zu vertreten als der Leitung des Verbandes genehm ist. Nehmen Sie bitte zur Kenntnis, lieber Genosse Horst Weiß, ich habe auf eigene Faust, ohne die Hilfe des Verbandes, auf Initiative der Deutschen Akademie der Künste von Beginn an die Angelegenheit in die Hand genommen, meine Erfahrungen, Beziehungen eingesetzt, und zu einem vorläufigen guten Resultat geführt [...] Mir geht es nicht um Personen, sondern lediglich um die Sache, d.h. in der Perspektive um die Anerkennung unseres Nationalkomitees als Vollmitglied bei der AIAP. Daher will ich alle Dinge vermeiden, die der Vollanerkennung entgegenstehen. Darf ich Ihnen folgendes verraten: als Präsident Leeser in der DDR weilte, wurde von der Leitung des Verbandes alles getan, um Leeser nach Dresden zur Genossin Lea Grundig zu bringen. Der Eindruck, den er dort empfing, war keinesfalls ein positiver. Diese Meinung hat er offen geäußert. Leeser wird in Tokio ein gewichtiges Wort mitreden. [...] Ich erkläre noch einmal, daß ich in der Angelegenheit des Nationalkomitees nicht mehr tätig sein werde. Ich habe es satt, für die anderen die Betten zu machen. Sollte noch jemals wer kommen und mich bitten, in irgend einer Angelegenheit meine Beziehungen und meinen Ruf einzusetzen, um etwas zu erreichen, so werde ich dies mit aller Entschiedenheit ablehnen. [...] Ich bin zu müde und habe das Ganze satt. [...]

Mit sozialistischem Gruß, O.N."[74]

Otto Nagel zwischen Ost und West

Ein großes Glück an seinem Lebensabend sind für Otto Nagel zwei Ausstellungen, die Wichart Müller ihm 1966, ein Jahr vor seinem Tod, in seiner Westberliner Ladengalerie widmet. Das Westberliner und Westdeutsche Presseecho ist überwältigend. Der erste Teil mit Gemälden und Zeichnungen aus viereinhalb Jahrzehnten läuft vom 18. Januar bis 18. Februar, der zweite Teil mit Berliner Bildern 1933 bis 1965 vom 23. März bis 7. Mai. Ein Katalog erscheint mit Unterstützung der Deutschen Gesellschaft für Bildende Kunst e. V., in dem der Galerist schreibt: „Schon in der ersten Periode seiner Arbeit hatte sich die spezifische Gabe Nagels gezeigt, die Situation einer ganzen Gesellschaftsschicht im Bilde eines bestimmten Menschen individuell zu charakterisieren. Wo andere [...] Typen aufstellten, Standpunkte vertraten, Manifeste plakatierten, da hatte der proletarische Autodidakt Nagel im Sinn, das Schicksal der Menschen um ihn herum zu erforschen und sie aus dieser Kenntnis heraus darzustellen."[75]

Herbert Freiherr von Buttlar, Direktor der Hamburger Hochschule für bildende Künste, kommt eigens aus Hamburg und erinnert in seiner Eröffnungsrede an die „glücklichen Kontakte von Akademie zu Akademie" in seiner Zeit als Generalsekretär der Akademie der Künste in West-Berlin, die er mit Otto Nagel pflegen konnte.[76] Auch

(Stiftung Archiv der AdK, Otto-Nagel-Archiv, 373) – Am 17.6.1965 beglückwünschen die Präsidentin des VBKD, Lea Grundig, und ihr Sekretär Horst Weiß im Auftrag des ZK Otto Nagel zu seiner Wiederwahl als Vizepräsidet der DAK zu Berlin.

67 Otto Nagel meldet sich nur noch einmal laut Protokoll der Präsidiumssitzung vom 6.11.1963 zu Wort, und zwar in der Debatte um die Ablösung von Peter Huchel als Chefredakteur der Zeitschrift Sinn und Form. Als Nachfolger hat die Ideologische Kommission, die Hurt Hager leitet, Prof. Dr. Wilhelm Girnus vorgeschlagen. Nagel erklärt sich damit einverstanden. „Aber gegen eine Äußerung von Prof. Kurella muß er sich wenden: seine große Liebe zur Kunst. Prof, Nagel führt das Beispiel der Barlach-Ausstellung der DAK an [die Girnus im Neuen Deutschland vom 4.1.1952 kritisiert hat: „Seine Geschöpfe sind eine [...] in tierischer Dumpfheit dahinvegetierende Masse", Stiftung Archiv der Akademie der Künste 1993 (vgl. Anm. 27), S. 116]. Da zeigte sich, daß Girnus von Kunst nichts versteht. Er steht den künstlerischen Dingen absolut verständnislos gegenüber [...] Er betrachtet den Künster als einen Fotoapparat." (Stiftung Archiv der Akademie der Künste 1993 (vgl. Anm. 27), S. 229)

68 AdK, Berlin, AdK (Ost), Nr. 17/3, Stiftung Archiv der Akademie der Künste 1993 (vgl. Anm. 27), S. 158–164, hier: S. 159.

69 Ebd., S. 161.

Ausstellungseröffnung in der Ladengalerie 1966 mit Otto Nagel, Wichart Müller und Freiherr von Buttlar
Foto: unbekannt, Akademie der Künste, Berlin, Otto-Nagel-Archiv, Fotos 50.4

Otto Nagel mit Hans Scharoun anläßlich der Eröffnung in der Ladengalerie.
Berlin (West), 23.3.1966
Foto: Zentralbild

Bundesarchiv,
Bild 183-E0324-0047-004
vgl. auch Akademie der Künste, Berlin, Otto-Nagel-Archiv, Fotos 50.8

der Präsident der Westberliner Akademie, Hans Scharoun, ist anwesend.[77]

Die „Westpresse" ist tatsächlich erstaunlich gut vertreten: *Der Kurier/Der Tag, Berliner Morgenpost, Die Welt* (Lucie Schauer), *Stuttgarter Zeitung* (Hellmut Kotschenreuther). Die Neue Zeit bescheinigt Nagel, dass er als Präsident die Deutsche Akademie der Künste „mit so viel Liberalität, wie ihm unter Ulbrichts Herrschaft gerade noch verziehen wurde, durch die Ungunst der Verhältnisse manövrierte". Das *Spandauer Volksblatt* nennt die Vernissage ein „gesellschaftliches Ereignis". Aus der DDR ist das *Neue Deutschland* mit der Republik-Ausgabe, die Ostberliner *Neue Zeit* und die *National Zeitung* präsent. Das Fernsehen der DDR bringt einen Film über Nagel als eigene Sendung.

Den zweiten Teil der Ausstellung eröffnet am 23. März der berühmte Theaterkritiker Herbert Ihering. Jetzt sind auch alte Weggefährten wie Max Taut und Hans Kollwitz, der Sohn von Käthe Kollwitz, anwesend. Diesmal würdigt die Presse den „Chronisten unserer Stadt", der „die alten Winkel Berlins, die grauen Straßenprospekte der Arbeiterviertel im diesigen Licht, die von ihm besonders geliebten und immer wieder aufgesuchten Hausdielen und Treppenaufgänge mit Durchblicken auf kleine Höfe, die Brücken über Eisenbahngeländer, die Ufer der Spree"[78] ins Bild bringt.

Diese beiden Ausstellungen müssen für Otto Nagel eine tiefe Genugtuung gewesen sein.

Otto Nagels Leben endet als Farce. Ausgerechnet Alexander Abusch, sein schärfster politischer Widersacher, der seinen Sturz im Amt als Präsident der DAK herbeigeführt hat, hält im Juli 1967 die Gedenkrede am Grab, in der er ihn zum „Gestalter der Sieger von morgen" erklärt, was Nagel erklärtermaßen nie sein wollte: „Die Wurzeln zu der Größe Deiner Kunst liegen gerade darin, daß Du der kämpfenden Arbeiterklasse mit allen Fasern Deines Seins und Schaffens verbunden bliebst. Mit der Partei vorwärtsgehend, wurdest Du vom ‚Bruder' der Armen, wie Du Dich einst selbst nanntest, zum Gestalter der Sieger von morgen [...] Wenn auf Dich, unser Genosse Otto Nagel, der Begriff ‚Aktivist der ersten Stunde' in seiner vollen, schönen Bedeutung zutrifft, so kündet er von einer neuen Epoche in Deiner Arbeit als Revolutionär [...]."

Diese Rede von Abusch soll ohne Nennung seines Amtes als Stellvertretender Vorsitzender des Ministerrates der DDR neben einem Vorwort des Weddinger Bezirksbürgermeisters Helmut Mattis im Katalog zu einer Gedächtnisausstellung für Otto Nagel in seinem Heimatbezirk Wedding erscheinen, deren Eröffnung für Dezember 1967/Januar 1968 vorbereitet ist. Bereits 1965 besucht Otto Nagel das Weddinger Heimatarchiv zu Recherchen für einen weiteren Erinnerungsband.[79] In einem Brief vom 10. Februar 1966 an den Weddinger Volksbildungsstadtrat Horst Kollat äußert er den Wunsch, in den Räumen des Rathauses, in denen er „vor 1933 [...] eine große Käthe-Kollwitz-Ausstellung machte", seine Bilder zu zeigen. Mit Enthusiasmus arbeitet das Bezirksamt in Zusammenarbeit mit der DAK an dem Projekt, das allerdings im Kalten Krieg an den drei Buchstaben DDR und dem Schlusssatz des Bezirksbürgermeisters, in dem dieser der Hoffnung Ausdruck verleiht, „daß die Berliner bald wieder in beiden Teilen der Stadt ungehindert Kunstschätze besichtigen können", scheitert. Die DAK wünscht die Streichung dieses Satzes und die zweimalige Einfügung der Initia-

70 Sektionssitzung 21.3.1967, zit. n. Lammert und Schmidt 1991 (vgl., Anm. 50), S. 41f.
71 Walter Flegel, Manfred Richter, Manfred Schmidt, Andreas Wessel und Karl-Friedrich Wessel (Hg.), „100 Jahre Gabriele Mucchi", in: ZeitSchrift. Künstler zwischen Macht und Vernunft, H. 1, 25. Juni 1999, S. 55–87, hier: S. 84.
72 AdK, Berlin, ONA, Nr. 392.
73 Vgl. Briefe vom 2.3.1964, 6.3.1964, 8.6.1964 (AdK, Berlin, ONA, Nr. 345)
74 AdK, Berlin, ONA, Nr. 392.
75 Zit. n. Ladengalerie gegründet 1962, hg. von Friedrich Rothe, Berlin 2012, S. 43, fortan Rothe 2012.
76 Albert Buesche, Der Tagesspiegel, zit. n. Rothe 2012 (vgl. Anm. 75), S. 43.
77 Stolz schreibt Nagel am 20.1.1966 an Eberhard Bartke, dem Leiter der Hauptabteilung Bildende Kunst im Ministerium für Kultur: „Schade, daß Du nicht bei der Eröffnung meiner Ausstellung in Westberlin dabei warst. Unter den Gästen war die ganze Westberliner Prominenz, Scharoun, Prof. Carl Otto, der Sekretär des Berufsverbandes bildender Künstler, Westberlin, [Walter] Wellenstein u.v.a.mehr. Übrigens war die ganze Westberliner Presse zum ersten mal vollzählig vertreten." (AdK, Berlin, ONA, Nr. 371)
78 Der Kurier/Der Tag, zit. n. Rothe 2012 (vgl. Anm. 75), S. 49.

len DDR in Klammern als geographische Bezeichnung im Katalog. Der Bezirksbürgermeister will auf seinen Schlusssatz verzichten, wenn die andere Seite ihrerseits nicht mehr auf die eingeklammerten drei Buchstaben für einen Staat, der im Westen nur die „Zone" ist, besteht. Doch die Senatskanzlei des Regierenden Bürgermeisters Klaus Schütz weist den Bezirksbürgermeister schriftlich an, auf seinen letzten Satz zu beharren „und die Ostberliner Akademie machte sich wieder ans Auspacken der bereits eingepackten Nagel-Bilder".[80]

Trotz dieses kleinkarieren Streits um Sätze und Buchstaben ist Otto Nagel damals ein in beiden Teilen Deutschlands geschätzter Künstler, der – mit Ausnahme seiner vergeblichen Versuche, zwischen 1949 und 1953 die „Menschen unserer Zeit" zu porträtieren, was er später ausdrücklich bereut – darauf bedacht war, dass seine Kunst von keiner Seite vereinnahmt wird. Ein Leben lang, von 1918 bis zu seinem Tod, war Nagel Kommunist, dennoch verweigert er in seinem künstlerischen Schaffen konsequent politische und ideologische Botschaften und widersteht der Versuchung, gegen den soziologischen Trend der Zeit und dem Dogma einer parteilichen Kunstauffassung, den Typus eines Menschen herauszuarbeiten. Stattdessen interessiert er sich leidenschaftlich für die individuellen Gesichtszüge und die Persönlichkeit seines Gegenübers. Er ist ein Menschensucher, der sich nicht sattsehen kann an den Eigenarten und Besonderheiten seiner Zeitgenossen. Sein Thema sind die Menschen aus seinem persönlichen Umfeld, die ihm vertraut sind, deren Milieu er kennt. Herausgerissen aus diesem Milieu und gefordert als Kulturpolitiker, malt er nur noch sich selbst und seine Tochter und nimmt 1965 „Abschied vom Fischerkietz". ■

Otto Nagel 1966 in der Ladengalerie vor seinem Gemälde *Der alte Maler*
Foto: unbekannt
Akademie der Künste, Berlin, Otto-Nagel-Archiv, Fotos 50.6

79 Bei dieser Gelegenheit steht er mit dem Lokalhistoriker Bruno Stephan im Austausch über seine Erinnerungen an den Wedding und bittet ihn um Hilfe bei seinen Recherchen.

80 Alle Zitate: Marie-Luise Scherer, Drei Buchstaben. Westberliner Otto-Nagel-Ausstellung fand nicht statt, DIE ZEIT, 12.1.1968.

Otto Nagel auf einer Veranstaltung des Kulturbundes zur demokratischen Erneuerung Deutschlands, Potsdam [1946 oder 1948]
Foto: unbekannt, Akademie der Künste, Berlin, Otto-Nagel-Archiv, Fotos 58

Eckhart J. Gillen, Michael Krejsa

Otto Nagel – Eine kurze Biografie (1894 bis 1967)

Otto Nagel wird am **27. September 1894** als jüngstes von fünf Kindern in der Reinickendorfer Straße in der Nähe des Gesundbrunnens im Arbeiterviertel Berlin-Wedding geboren und stirbt am **12. Juli 1967** in Berlin-Biesdorf.

Er stammt väterlicherseits aus einer sozialdemokratischen Familie, sein Vater betreibt eine kleine Tischlerei. Nach der Volksschule macht er **1908 bis 1910** eine Lehre als Mosaik- und Glasmaler bei den Berliner Glasmalerei- und Mosaikwerkstätten Gottfried Heinersdorff ohne Abschluss, danach ist er Lackierer und Sprenger bis **1914**, anschließend Riemensattler, und bis **1921** arbeitet er in einer Bleierei bei der Bergmann AG in Berlin-Rosenthal. Er engagiert sich in der Arbeiterjugend und tritt **1912** in die SPD ein. Im Ersten Weltkrieg wird er zum Militär eingezogen, verweigert den Kriegsdienst an der Front, kommt in ein Strafbataillon und wird auf dem Schießplatz in Wahn bei Köln interniert. **1917** wird er Mitglied der USPD. Am **8. November 1918** tritt er dem revolutionären Soldatenrat bei und kehrt nach Berlin zurück. Dort wird er Mitglied der am **30. Dezember 1918** gegründeten KPD. Die Verlagsbuchhandlung Ernst Friedrich, dessen Besitzer 1925 das Anti-Kriegs-Museum gründet, zeigt im Mai **1921** Werke des Autodidakten Otto Nagel erstmals in einer Einzelausstellung im Rahmen seiner Arbeiter-Kunst-Ausstellungen.

1922 wird Nagel Sekretär der Künstlerhilfe der Internationalen Arbeiterhilfe (IAH). **1924** tritt er dem kommunistischen Künstlerbund Rote Gruppe bei, zu dem unter anderem auch Otto Dix, George Grosz, John Heartfield und Rudolf Schlichter gehören, und organisiert die Erste Allgemeine Deutsche Kunstausstellung, die am **18. Oktober 1924** im Staatlichen Historischen Museum Moskau eröffnet und danach vom Dezember bis März **1925** in Saratow und vom Mai bis Juli **1925** in Leningrad gezeigt wird. In Leningrad begegnet er Walentina Nikitina, die er in zweiter Ehe heiratet. Von seiner ersten Frau Frieda Kaminski ist er bereits seit **1920** geschieden. **1932** folgt eine Gedächtnis-Ausstellung des grafischen Werks von Käthe Kollwitz zu ihrem 65. Geburtstag in Moskau. Nagel ist mit Käthe Kollwitz und Heinrich Zille eng befreundet. Von **1928 bis 1932** leitet er als Mitherausgeber und Chefredakteur die Satirezeitschrift *Eulenspiegel*.

Otto Nagel [bei der Gründung des Kulturbundes zur demokratischen Erneuerung Deutschlands], [1945] Foto: Puck Studio Babelsberg, Akademie der Künste, Berlin, Otto-Nagel-Archiv, Fotos 55

Im April/Mai **1934** nimmt Nagel an der Frühjahrsausstellung der Preußischen Akademie der Künste teil. **1935** zieht er innerhalb des Weddings aus der Turiner Straße 4 in die Badstraße 65 am Gesundbrunnen, wo er bis 1943 wohnt.

Vom **17. bis 19. April 1937** wird er in sogenannte „Schutzhaft" im KZ Sachsenhausen genommen. Während der NS-Zeit schafft er ein umfangreiches Werk mit Pastellen von Berlin.

Otto Nagel mit Otto Grotewohl auf einer Veranstaltung des Kulturbundes zur demokratischen Erneuerung Deutschlands, Werder 1948
Foto: Schumann, Werder, Akademie der Künste, Berlin, Otto-Nagel-Archiv, Fotos 57

Otto Nagel mit Wilhelm Pieck und Walter Ulbricht am 1. Dezember 1951 anläßlich der Eröffnung der Ausstellung Künstler schaffen für den Frieden organisiert vom Verband Bildender Künstler im Kulturbund in Berlin (DDR)
Foto: Horst Sturm, Bundesarchiv, Bild 183-12773-0003/Horst Sturm

Otto Nagel auf der Eröffnung der Frans-Masereel-Ausstellung in der Deutschen Akademie der Künste, 1957
Bundesarchiv, Bild
vgl. auch Akademie der Künste, Berlin, Otto-Nagel-Archiv, Fotos 48
Foto: Zentralbild

Am **12. Oktober 1943** wird die Tochter Sibylle geboren. Im Februar **1944** verlässt Otto Nagel die ausgebombte Wohnung in der Badstraße in Richtung Forst, dorthin, wo er sich bereits schon **1943** zeitweise aufgehalten hatte. Aber auch die Wohnung im Forster Stadtzentrum in der Leipziger Straße 22 wird ausgebombt. Daraufhin kehrt er mit seiner Familie nach Berlin zurück und findet eine Wohnung in der Karlsruher Straße 8 im Stadtteil Halensee.

Nach Kriegsende kommt er mit seiner Frau in Bergholz-Rehbrücke bei Potsdam unter, zunächst in der Triftstraße 7, dann in der Rudolf-Presber-Straße 12. Ganz in der Nähe dieser Adresse befindet sich eine sowjetische Kommandantur. Vermutlich durch die guten Kontakte seiner russischen Frau wird der Landesverband Brandenburg des Kulturbundes zur demokratischen Erneuerung Deutschlands bereits im Juli **1945** als erster Landesverband von der Sowjetischen Militäradministration Deutschlands (SMAD) in der Sowjetischen Besatzungszone (SBZ) lizensiert. Die Gründungversammlung findet am **10. Juli 1945** in Otto Nagels Haus statt. Wie im Zuge der Politik zur Gewinnung der bürgerlichen Intelligenz üblich, wird der parteilose Kunsthistoriker August Grisebach Landesvorsitzender, Nagel sein Stellvertreter. Nach der Übersiedelung Grisebachs nach Heidelberg wird Nagel Landesvorsitzender. Die erste Landestagung, die Nagel als Vorsitzenden bestätigt, findet am **1. und 2. März 1947** statt.

Nagel gelingt es, innerhalb von einem Jahr 130 Ortsgruppen im ganzen Land Brandenburg zu initiieren. Ihm zur Seite stehen Schriftsteller wie Bernhard Kellermann, Johannes R. Becher, der Kunsthistoriker Willy Kurth oder der von den Nazis entlassene Direktor der Nationalgalerie, Ludwig Justi, der in der Großen Orangerie des Parks von Sanssouci in einer Art inneren Emigration überlebt hat.

Mit Bernhard Kellermann hat Nagel schon in der am **1. Juni 1923** gegründeten Gesellschaft der Freunde des Neuen Russlands zusammengearbeitet, die **1933** aufgelöst wird. Zusammen mit Kellermann initiiert Nagel die Gesellschaft für Deutsch-Sowjetische Freundschaft als Nachfolgeorganisation für das Land Brandenburg.

Aufgrund der Zwangsvereinigung von SPD und KPD wird Nagel **1946** Mitglied der SED und ist Mitglied der Beratenden Versammlung Brandenburgs, dann des Landtages bis **1950**.

Eröffnung der Otto-Nagel-Ausstellung, Moskau, 27. September 1960
Foto: unbekannt, Akademie der Künste, Berlin, Otto-Nagel-Archiv, Fotos 59

John Heartfield und Otto Nagel in der Jury einer Bildnissausstellung 1959, Deutsche Akademie der Künste (Ost).
Foto: unbekannt,
Akademie der Künste, Berlin, Otto-Nagel-Archiv, Fotos 43

Otto Nagel am Rednerpult anläßlich der Feierlichkeiten zum 10jährigen Bestehen der Akademie der Künste zu Berlin, März 1960
Foto: unbekannt, Akademie der Künste, Berlin, Otto-Nagel-Archiv, Fotos 46

Berufung Otto Nagels zum Ehrenmitglied der sowjetischen Akademie der Künste und Otto-Nagel-Ausstellung im Beisein von Konstantin Alexandrowitsch Fedin und Boris Wladimirowitsch Joganson, Moskau, Oktober 1960
Foto: unbekannt, Akademie der Künste, Berlin, Otto-Nagel-Archiv, Fotos 45

Seine Zeit in Potsdam endet **1952** mit dem Umzug in die Königsstraße 5 in Biesdorf, die nach seinem Tod in Otto-Nagel-Straße umbenannt wird.

Nagel wird Mitglied des 1. und 2. Volksrates der SBZ, der Provisorischen Volkskammer, und danach von **1949 bis 1954** Abgeordneter der Volkskammer der DDR. Er gehört zu den Gründungsmitgliedern der Deutschen Akademie der Künste zu Berlin (DAK). Von **1950 bis 1952** ist er 1. Vorsitzender, von **1955 bis 1959** Präsident des Verbandes Bildender Künstler Deutschlands (VBKD). Von **1952 bis 1954** und **1956** ist er Sekretär der Sektion Bildende Kunst, **1953 bis 1955** und **1962 bis 1967** Vizepräsident der Deutschen Akademie der Künste zu Berlin. Höhepunkt seiner kulturpolitischen Karriere ist das Präsidentenamt der DAK, das er von **1956** bis zu seinem erzwungenen Rücktritt **1962** innehat.

Mit der Verschärfung der politischen Lage nach dem Mauerbau in der DDR gerät Nagel **1961/62** in schwere Konflikte mit Partei und Regierung. Von **1962 bis 1967** sitzt er im Präsidialrat des Kulturbundes. Er wird geehrt durch die Verleihung des Professorentitels **1948**, den Nationalpreis II. Klasse für sein Gesamtwerk und den Goethepreis der Stadt Berlin **1957**.

1952 wird er als Verfolgter des Naziregimes anerkannt, **1958** erhält er die Medaille für „Kämpfer gegen den Faschismus". Am 14.10.1960 wird er Mitglied der AdK der UdSSR. **1964** folgt der Vaterländische Verdienstorden in Gold, **1967** der Käthe-Kollwitz-Preis der DAK. 1965 erhält er die Ehrenbürgerschaft von Potsdam und 1970 posthum die Ernennung zum Ehrenbürger Berlins.

Zwei große Ausstellungen zeigen sein Werk in der DDR, die eine **1950** in den Räumen der Akademie am Robert-Koch-Platz, die andere **1959** zum 65. Geburtstag in der Nationalgalerie. Diese wandert nach einer Station in Stockholm vom 17.9 bis 15.10.1960 nach Moskau. Eine dritte Ausstellung, die nach seinem Tod **1967** im Rathaus Wedding in Zusammenarbeit mit der DAK stattfinden soll, scheitert an den Querelen des Kalten Krieges.

1952 veröffentlicht Otto Nagel seine Autobiografie, der **1955** Bücher über Heinrich Zille sowie **1963 und 1965** über Käthe Kollwitz folgen. **1981** erscheinen die Lebenserinnerungen von Walentina Nagel.

Walter Ulbricht überreicht Otto Nagel den Vaterländischen Verdienstorden in Gold, 1964.
Bundesarchiv 183-C1005-0005-053
vgl. auch Akademie der Künste, Berlin, Otto-Nagel-Archiv, Fotos 53
Foto: Zentralbild

Selbstbildnis vor leerer Staffelei,
um 1936, Öl auf Leinwand,
115,5 x 79,5 cm,
Akademie der Künste, Berlin,
Kunstsammlung, Otto Nagel,
Inv.-Nr. KS-Nagel MA 52

Anilinarbeiter, 1928,
Öl auf Leinwand,
75,5 x 57,0 cm
Akademie der Künste, Berlin,
Kunstsammlung, Otto Nagel,
Inv.-Nr. KS-Nagel MA 49

Junge Arbeiterin, um 1921/22,
Öl auf Pappe,
60,0 x 50,0 cm
Akademie der Künste, Berlin,
Kunstsammlung, Otto Nagel,
Inv.-Nr. KS-Nagel MA 47

Traurige Walli, 1934,
Öl auf Leinwand,
81,5 x 60,0 cm
Akademie der Künste, Berlin,
Kunstsammlung, Otto Nagel,
Inv.-Nr. KS-Nagel MA 51

Rudi, um 1939,
Öl auf Pappe,
60 x 43 cm
Akademie der Künste, Berlin,
Kunstsammlung, Otto Nagel,
Inv.-Nr. KS-Nagel MA 53

Netzflicker am Strand bei Vitt,
1937, Pastell,
40 x 58 cm
Akademie der Künste, Berlin,
Kunstsammlung, Otto Nagel,
Inv.-Nr. KS-Nagel MA 38

Fischerfamilie auf Rügen, 1937,
Öl auf Sperrholz,
50,7 x 60,8 cm
Akademie der Künste, Berlin,
Kunstsammlung, Otto Nagel,
Inv.-Nr. KS-Nagel MA 24

Fabrikeingang OSRAM, 1937,
Pastell,
51,5 x 41,5 cm
Akademie der Künste, Berlin,
Kunstsammlung, Otto Nagel,
Inv.-Nr. KS-Nagel MA 39

Kampf um den Sperlingsberg, 1938,
Öl auf Leinwand,
61,5 x 77,0 cm
Akademie der Künste, Berlin,
Kunstsammlung, Otto Nagel,
Inv.-Nr. KS-Nagel MA 36

Lokal Gibbecke in Alt-Strahlau,
1941, Pastell,
41,2 x 61,2 cm
Akademie der Künste, Berlin,
Kunstsammlung, Otto Nagel,
Inv.-Nr. KS-Nagel C 322

Waisenstraße, auch: *Alte winklige Straße*, 1942, Öl auf Leinwand, 73,5 x 52,5 cm
Akademie der Künste, Berlin, Kunstsammlung, Otto Nagel, Inv.-Nr. KS-Nagel MA 32

Trümmerarbeiter, um 1947,
Öl auf Leinwand,
46,6 x 62,0 cm
Akademie der Künste, Berlin,
Kunstsammlung, Otto Nagel,
Inv.-Nr. KS-Nagel MA 57

Arbeiterstudenten, 1949,
Aus dem Zyklus „Der neue Mensch“,
Öl auf Leinwand, 79,5 x 100,5 cm
Akademie der Künste, Berlin,
Kunstsammlung, Otto Nagel,
Inv.-Nr. KS-Nagel MA 33

Neulehrerin, um 1949,
Aus dem Zyklus „Der neue Mensch",
Öl auf Leinwand, 83,3 x 64,5 cm
Akademie der Künste, Berlin,
Kunstsammlung, Otto Nagel,
Inv.-Nr. KS-Nagel MA 31

Mädchenbildnis Sibylle, 1953,
unvollendet, Öl auf Leinwand,
84,5 x 65,0 cm
Akademie der Künste, Berlin,
Kunstsammlung, Otto Nagel,
Inv.-Nr. KS-Nagel MA 23

Blick auf das Gasthaus „Nussbaum“,
um 1954, Pastell,
48,5 x 39,2 cm
Akademie der Künste, Berlin,
Kunstsammlung, Otto Nagel,
Inv.-Nr. KS-Nagel MA 77

Am Köllnischen Fischmarkt, 1965,
Pastell,
45,0 x 60,0 cm
Akademie der Künste, Berlin,
Kunstsammlung, Otto Nagel,
Inv.-Nr. KS-Nagel MA 41

Bullenwinkel, um 1954,
Pastell,
53,9 x 41,0 cm
Akademie der Künste, Berlin,
Kunstsammlung, Otto Nagel,
Inv.-Nr. KS-Nagel C 410

Abschied vom Fischerkiez IV,
1965, Pastell,
60,0 x 93,0 cm
Akademie der Künste, Berlin,
Kunstsammlung, Otto Nagel,
Inv.-Nr. KS-Nagel MA 30

Inhalt

Impressum

Der Katalog erscheint anlässlich der Ausstellung
Otto Nagel – Menschensucher und Sozialist.

In Zusammenarbeit mit der Akademie der Künste, Berlin

Herausgeber: Eckhart J. Gillen im Auftrag der Stadt Eberswalde
in Zusammenarbeit mit der Akademie der Künste, Berlin

Stadt Eberswalde, Kulturamt
Breite Straße 41-44, 16225 Eberswalde
www.eberswalde.de

Dank an den Leihgeber:
Akademie der Künste, Berlin

Wir danken für die Unterstützung:
Michael Krejsa, AdK
Antje Hanack, AdK
Dr. habil. Rosa von der Schulenburg, AdK
Florian Bielefeld, AdK
Sabine Hagen, AdK

Titelbilder:
„Abschied vom Fischerkiez“ IV, 1965, Pastell, 60,0 x 93,0 cm, Akademie der Künste, Berlin,
Kunstsammlung, Otto Nagel, Inv.-Nr. KS-Nagel MA 30

„Selbstbildnis vor leerer Staffelei“,um 1936, Öl auf Leinwand, 115,5 x 79,5 cm, Akademie der Künste, Berlin,
Kunstsammlung, Otto Nagel, Inv.-Nr. KS-Nagel MA 52

Redaktion: Ramona Schönfelder, Stadtverwaltung Eberswalde
Lektorat: Martin Regenbrecht, Berlin
Übersetzung des Textes von Sergey Fofanov aus dem Russischen: Dr. Christian Hufen

Gestaltung: Susanne Meyer, www.meyergrafikdesign.de
Herstellung: Druckerei Nauendorf, Angermünde

ISBN 978-3-9822404-5-9
ISBN 978-3-88331-251-4

Die Ausstellung und die Herausgabe des Katalogs wurden durch den Landkreis Barnim und das
Ministerium für Wissenschaft, Forschung und Kultur des Landes Brandenburg unterstützt.

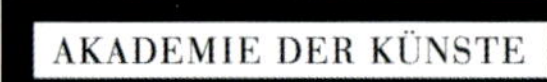

Gefördert durch / Funded by: